THE POETRY OF
CAN YÜCEL

CAN YÜCEL'İN ŞİİRLERİ

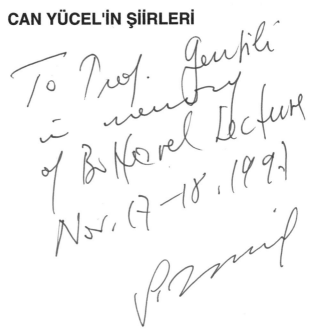

To Prof. Gentili
in memory
of B. Morel Lecture
Nov. 17-18, 1997

Copyright ©1993 Feyyaz Kayacan Fergar &
Papirüs Yayınları/Papirüs Publications
Papirüs Yayınları No : 35
ISBN   : 975- 7432 - 29 - 6
Çeviri   : Feyyaz Kayacan Fergar,
                  Ruth Christie, Richard McKane,
                  Talat S. Halman
Papirüs 1. Baskı Haziran 1992, istanbul
Papirüs 1. Edition June 1993, İstanbul

Genel Dağıtım/Distribution : Papirüs Yayın Dağıtım
                             Papirüs Publications
                             Babıali Caddesi 19/1
                             Cağaloğlu 34410 İstanbul
Tel   : 528 56 15 - 527 01 27
Faks/Fax   : 526 58 07

Adaş Ankara
Tel   : 423 46 24 -27
Faks/Fax   : 435 60 57

Kapak/ Cover Design : Su Yücel
Dizgi/Typesetting   : Sarmal Dizgievi, İstanbul
                       Tel: 522 45 78
Baskı/Printing   : Acar Matbaacılık A.Ş.
                       Tel: 577 69 96 - 567 98 64

THE POETRY OF CAN YÜCEL

CAN YÜCEL'İN ŞİİRLERİ

A SELECTION/SEÇMELER

Edited, translated and introduced by
Yayına Hazırlayan ve Çeviren

Feyyaz Kayacan Fergar

with supplementary translations by/diğer çevirmenler
Richard McKane, Ruth Christie, Talat S. Halman

PAPİRÜS
YAYINLARI

Acknowledgments

Grateful acknowledgments are due to
the editors and publishers of the following
magazines and anthologies in which some of
these translations were previously published.

Bu çevirilerin bir bölümünün yayımlandığı
aşağıdaki dergilerin ve antolojilerin editör ve
yayımcılarına şükranlarımızı sunarız.

CORE (edited by. M. Ceylan and F. Fergar) (1990)
Living Turkish Poets. (ed. Talat S. Halman) - (1989)
                      Dost Publications - İstanbul
Modern Turkish Poetry - (ed. Feyyaz Kayacan Fergar)
                      (Rockingham Press) 1992
HAIKU Quarterly No-A- (1992)
(Editor Kevin Bailey) -The Daydream Press - Swindon.

The translations of the
poems in this book appear
with the Turkish originals
as parallel texts.

Bu kitaptaki şiirler
İngilizce çevirileriyle
birlikte sunulmakta.

INTRODUCTION

Sometimes we talk about a poet's juvenilia or the poetry of his youth in order to pinpoint the course of his develoment. In my opinion, this approach does not apply to Can Yücel - because he started his poetic career with an already mature voice and a sharp and lyrical imagination firmly rooted in the realities of this world. In one of his earliest poems, we come across these lines which show a sensitive intelligence at work:

> This world came into being...
> when gods felt bored with the void...
>
> and with thinking came the vast serenity of mind

In the poem almost immediately following this one, Yücel gives us another example of his rich insights:

> our breathing and living go hand in hand
> bound to stop at a water's edge.
> There are other blessings beyond bread and wine,
> you can't always be on the go,
> you must also learn silence.

By the time he reaches his poem 'History lesson at the Flea market) towards the end of his first book published in 1950, Yücel's voice is fully formed. We can detect in it the presence of T. S. Eliot, but this in no way diminishes his achievement. In it we see the emergence of the mixture of wisdom and irony which became the hallmark of his poetry.

Equally we can say when we read the two poems entitled respectively (Green Poem) and (The Song of a Lizzard Perhaps)that Yücel had also felt the touch of Dylan Thomas's genius. But here again there's no question of sheep like imitation, but rather of finding new jumping boards from which to initiate new extensions to the span of his imaginative powers.

Dylan Thomas was an instinctual, visceral poet. Can Yücel is at home in the aura of thought sharpened by the double-edged sensitivity of irony and lyricism. But he did find in Thomas rewarding points of contact to assimilate. Talking about Yücel's irony end sense of humour, let me give you the gist of a short poem called Epigram. Quoting Marx's favourite Latin dictum "nihil humanum mihi alienum est", he adds a teasing note:

I agree, I abide by everything that's human, except those
humanists.

Now let me draw your attention to the lyrical side of Yücel, a lyricism coloured by a deep concern for what is good and right in life:

> This is the man's law of the blood:
> to make wine from the grape,
> to strike fire from the stone
> and human beings from kisses
>
> This is man's principal law
> from the child on all fours
> to the runner in space,
> to be always on course
> (translated by Ruth Christie)

His zest for life finds an eloquent expression in a long poem, (Piece by Piece). I'll quote the first four lines:

> I want to live
> I want to live in this tepid hell
> not just as a dead friend one thinks of
> with a trembling heart I want to be able to live living

(Poems of a Political Prisoner)

This is poetry inspired by the will to live raising its voice under the dark impact of events. In the same sequence of poems there is one that reads like a prose fable. Listen:

Yakov, one of Gorky's little heroes, a boy of seven asks his friend:
-Ilya, he says, how come men see everything with their tiny little eyes? How can they see the whole of a township? Look at this big street? How can you get it all in your eye?
- Well Yakov, I interrupted, think of the inmates in this prison. More than a thousand of them. All hefty men. Think of their eyes grown huge with the yearning for the world outside. Yakov, how is it that so many eyes were herded inside these four walls?

Yücel is always direct, undiluted in his reaction to people and situations. He never falls into the trap of easy, high sounding but shoddy lyricism. He never indulges in pedestrian gibes or jeremiads. He has always kept the tongue of truth in his head. He is not the man to intone cheap hosannas. Genuflections play no part in his life - but he will praise where praise is due. For instance he declares in his poem (Magical Realism):

> I am human and a witness
> to that miracle that is my self

When he says "myself" he means you and you and you. Just like the French essayist Montaigne who wrote: "When I speak about myself I speak about you". The man who wrote (Lament for a Geranium) could also produce this startlingly satisfying short poem:

The bell rang,
on my way to the door
I woke up to find myself
lying on my back under the pine trees

The blue of the sky

rushed into my eyes
Well what's wrong with that
This too is a way to open the door

to a different threshold

Can Yücel's heart beats like a brass band on its way to a struggle or to a festival of joy. Yücel has the shining knack of causing the mind to reverberate in depth at the touch of simple images which have the quality of accolades. His poem (Casting Nets) is an apposite example:

A dripping sky came up with the nets
the fishermen were blue all over

This dyptich has the iridescence of a dazzlingly compact drawing by Paul Klee. How would we define the poet if we were asked to sketch his portrait in a few swift but significant lines? Let Can Yücel himself answer this question:

With my own hands I closed
my earthly eyes
it was worth the tiring effort,
only death was left. It too I have now seen
feeling glad that I had been born.

Feyyaz Kayacan Fergar
London November 1992

Footnote: Unless otherwise indicated the translation of all the quotations in this preface are by the editor.

ÖNSÖZ

Bir ozanın gelişim dönemlerini aydınlatmak için eleştirmenlerin başvurdukları kaynaklardan biri de ozanın yalnız gençliğinde değil okul sıralarındayken de yazdığı şiirlerdir. Bence böyle bir yaklaşım, sözkonusu olmaz Can Yücel'i değerlendirmede. Çünkü -bunu hemen algılamamak olanaksız- daha ilk şiirlerinde, olgun bir sanatçının işlek avadanlığını kuşanmış olarak çıkıyor karşımıza. (YAZMA) daki HAYIR şiirinde ince bir usun kulaçlayıcı duygusallığına tanık oluyoruz.

Tanrılar boşluktan bıkınca

dünya var oldu imgesini yerine koyduktan sonra genç şair, ikinci unsurun, ikinci oluşumun, düşüncenin ışıl ışıl yürürlüğe girişine kıskaç gibi bir dizeyle parmak basıyor ve diyor ki:

Düşmenin huzuru ayan olur...

Bundan az sonraki başka bir şiirde, (YORGUNLUK) şiirindeki Can Yücel derinlikli anlayışını şu dizelerle vurgulamakta:

Nefeslerle sürüp giden yaşamımız
Bir su kenarına gelir durur.
Ekmekten, şaraptan öte nimetler vardır,
Yürümez öyle hep, bazen susulur.

1950'de yayınlanan ilk kitabındaki (BİT PAZARINDA TARİH DERDİ) şiirine geldiğinde Yücel'in sesi artık kıvamına varmıştır, biçimiyle yönüyle anlamının temelini atmıştır. Burda T.S.Eliot'un varlığını sezinliyoruz biraz. Ama bu, bir zerrecik eksiltmiyor şairin başarısını. Orda Can Yücel'in sesinin özel damgası yerine geçecek olan us-sağlığı ve ironi karışımının yükselişini görüyoruz.

(YEŞİL ŞİİR) ve (BELKİM BİR KERTENKELEYDİM) başlıklı şiirleri okurken Can Yücel'in GALYA'nın büyük ozanı Dylan Thomas'ın sesine kulak vermiş olduğu belli oluyor. Kulak vermek sözü burda benzerini yapmak, gibicilik anlamına gelmiyor. Yücel, kendi imgelem gücünün alanını genişletmek için aradığı sıçrama tahtasını, Dylan Thomas'da bulmuş. Dylan Thomas, şiirlerini, içgüdüsel atılımlarla, kanıyla, kemiğiyle yürüten bir şairdir. Can Yücel'in doğal ortamı, ironi ve **lirizmin** aydınlığında daha kesin bir duyarlığa erişen düşünce uyanıklığıdır. Gene de Yücel'in Dylan Thomas'ta özümseyecek ögeler bulduğu söylenebilir.

Yücel'in İroni ve Humor özelliklerinden söz ediyoruz ya (EPİGRAM) adlı şiiri üzerinde şöyle bir bakış durmak isterim. Karl Marx'ın çok sevdiği (NİHİL HUMANUM MİHİ ALİENUM EST) latin sözüne ben de imzamı basarım, diyor şair. İnsana ilişkin ne varsa kabulüm. Şu hümanistler hariç.

Şimdi Can Yücel'in kendi özel şiir görüşüne, kendi şiir kavramına gelelim. Yaşamda doğruyu ve güzeli savunma sorumluluğunu üstlenen bu anlayıştan yola çıkan ozan (ANAYASASI İNSANIN) şiirinde insanı, ışıldayan bağrına basmakta:

> Kan yasası bu insanın:
> Üzümden şarap yapacaksın
> Çakmak taşından ateş
> Ve öpücüklerden insan
>
> Anayasası bu insanın
> Emekleyen çocuktan
> Uzayda koşana dek
> Yürürlükte her zaman

Yaşama gücü ve özlemini Yücel, uzun bir şiirde dile getirmekte. PARÇA PARÇA. Bu şiirin ilk dört dizesini aktarıyorum buraya:

Yaşamak istiyorum.
Yaşamayı bu soğumuş cehennemde
Ölü bir dost gibi içim titreyerek düşünmek değil sade,
Yaşamayı yaşamak istiyorum.

(Bir Siyasinin Şiirleri)

Karanlık baskılara karşı sesini dimdik yükselten yaşama
yemini izleyen bir şiir bu. Aynı şiir topluluğundan bir tane-
si tıpkı La Fontaine'den çıkmışa benziyor, düzyazı olarak:

Gorki'nin kahramanlarından Yakov, yedi yaşında bir çocuk, ar-
kadaşına soruyor:
-İlya, diyor, bu kadar küçük gözlerle insanlar nasıl olup da her
şeyi görebiliyor? Koca bir kasabayı görebiliyor?.. Şu caddeyi
düşün bir kez! Nasıl olup da senin gözüne sığıyor?
-Pekiy ama, Yakov, diyorum ben de, şu cezaevindeki bini
aşkınmahkumun, koca koca adamların yıllardır dünyaya duy-
dukları özlemle o kocaman olmuş gözlerini düşün bikez! Nasıl
olup da bunca göz bu dört duvar arasına sığıyor?..

Can Yücel'in insanlar ve durumlar karşısındaki tepkileri
aynı dürütlüğün yayından kopmuş oklara benzetilebilir.
Şair tutumuna su katmıyor. Kendisi neyse tutumu da o.
Ucuz bir şiir anlayışına da kapılmıyor. Sıradan
iğnelemeler, taşlamaları pöhpöhleyecek kişi de değildir.
Yaşamında, inildediği, dize geldiği, boynunu kıldan ince
ilan ettiği görülmemiştir. Ne var ki övgü yerindeyse
övgüden kaçınmaz. Örneğin (TANSIK GERÇEĞİNDE)
diyor ki:
                İnsanım ben... ve tanığım
                Kendim olan o tansığa...
Ben "kendim" sözünü ederken sizi, sizi ve sizi diline vir-
detmektedir. Tıpkı onaltıncı yüzyıl Fransız deneme ustası
Montaigne'nin okurlarına dediği gibi: "Ben kendimi an-
lattıkça sizi anlatmış olurum."

Çok yanlı bir insan Can Yücel. Kulağı, gözü, yaşamın
tüm kiplerine bitişik (SARDUNYAYA AGİT)'ı yazan adam
kalkıp şu kısa ama fıkır fıkır iç açıcı şiiri mis gibi yazabiliy-
or:

ÇALINDI

Kapı çalındı
Açmaya davranayım derken
Uyandım ki
Çamların altında yatmıyor muymuşum
Sırtüstü,
Hücum etti gözlerime
Göğün mavisi

Hoş
böyle de
kapıyı açtım sayılır
Diğ mi

Aynı kapıya çıkmasa bile

Can Yücel'in kalbi, bir savaşa ya da bir sevinç şenliğine giden bir bando mızıka gibi çarpmakta. Can'da Tanrı vergisi parlak bir beceri yeteneği var. En sade imgelerin tüyden hafif dokunuşlarıyla bütün iç evrenimizde yankılanan derin ürpertiler uyandırıyor. (VOLİ) güzelbir örnek:

Sırılsıklam bir gökyüzü çıktı ağlarından
Masmavi bütün balıkçılar

Bu iki dize, Paul Klee'deki resimlerin göz kamaştırıcı, kestirme yoğunluğunun renklerini anımsatıyor.
Şimdi şairi bir iki derin çizgiyle anlatmaya çağrılsak ne diyebilirdik? Bırakın Can Yücel yanıtlasın bu soruyu:

SONSÖZ

Dünya gözlerimi kendi ellerimle örttüm
Değdi yorgunluğuma
Bi ölüm kaldıydı onu da gördüm
Beni pişman etmedi doğduğuma

Feyyaz Kayacan Fergar
Londra, Kasım 1992

15

Personal Comments by Richard McKane

In the early seventies when I was living in Istanbul, Can Yücel was in prison in Adana, so I first met his family: Güler, his wife and the two girls at their home on the Bosphorus in Anadolu Hisar on the Asian side. It was a moving meeting and Güler produced some poems from an old trunk, typewritten with a faint ribbon. I translated several of those poems and they were subsequently published in the London magazine *Index on Censorship.*

Can Yücel's poetry lives by its wits. It is hugely rich in puns and colloquialisms and wordplay (often of a serious nature, and often very difficult to translate) and is the proud bearer of his inimitable voice, which is rough as a pirate's. It is the stamp of Can Yücel's poetry though that he can take on political poetry head on and give it a universal dimension as in the poem 'Arithmetic'. In the sixties he was for some years Tourism Representative in Marmaris, which was then one of the most beautiful villages on the Mediterranean, there he learnt to 'write the Mediterranean'. At the same time, profiting from his time with the Turkish section of the BBC, he has done some of the best translations into Turkish from English poetry.

When I saw Can Yücel in December 1988, at his home, before we read together at the Cultural Centre of the İstanbul Turco-British Association, he was peeling and cutting up mushrooms. Perhaps it was the Sinyavsky-like beard but I got the overwhelming feeling that here was a Russian poet in their tradition. Can Yücel, with the death of Oktay Rıfat, is now Turkey's outstanding poet. The translations in this book of poems will lead to him having an English readership, and are also the translators' way of honouring a fellow translator and poet.

Richard McKane
London October 1992

16

Personal Comments by Ruth Christie

I have never met Can Yücel but have heard his voice and experienced a frisson of pleasure from the power of its warm, sonorous, double-bass quality. The same voice is heard throughout the wide range of his work, in his personal and intimate poems and in the wider issues he attacks with indignation, vigour, and humour. His humour can be wry or grim or whimsical. He speculates affectionately on how he "first fell into his mother's imagination", but castigates politicians in ironic epigrams which transcend national boundaries. He sings of the arrest of a geranium whose colour was red. Of his own naked directness he has written.

> "my manner of talking
> both in poetry and life
> is like that - full of pins."

He rejoices in language. His 'manner of talking' encompasses the demotic, classical reference, surrealist imagery, word and sound play of all kinds. He may begin a poem in the personlal 'I' mode and end at a remove. 'I' becomes Can, a name to conjure with in Turkish as it means 'life', 'soul', 'vitality', and in mystical terms, 'disciple' or 'brother'. Brotherliness is a mark of Can Yücel who never by a word or phrase repudiates or dissociates himself from the frailties of humankind. He sides with life, confident that his own beautiful trust can open our eyes to its possibilities.

> 'There is a child in my breast
> Death after death I die, not so the child."

Can Yücel has translated works by Yeats and shares some common ground with that aristocrat of poets.

Through the myths of legend and history both have pursued personal and political truths, lyrically, passionately, questioningly: in the end the soul stands on its own, down 'in the foul rag-and- bone shop of the heart", thrown back on the power of Song alone. That is a recognition Can also has reached in one of his richest poems. The Wall of Love.

Ruth Christie

Richard McKane'in Yorumu

Yetmişli yılların başında ben İstanbul'dayken Can Yücel mahpustu. Ailesiyle ilk tanışmam o sırada oldu. Karısı Güler iki kızıyla birlikte, Boğaziçi'nin Anadolu yakasında, Anadolu Hisarı'ndaki evinde oturuyordu. Dokunaklı bir tanışma oldu bu. Güler eski bir sandıktan, mürekkebi gitmiş bir daktilo şeridiyle yazıldığı anlaşılan şiirler çıkardı. Bu şiirlerden bir bölümünü çevirdim. Bunlar daha sonra Londra'da yayımlanan Index on Censorship dergisinde çıktı.

Can Yücel'in şiiri zekayla beslenen bir şiirdir. Nükte, gündelik deyişler, sözcük oyunları (genellikle ciddi ve çevrilmesi çok güç) bakımından muazzam zengindir. Ve bir korsan sesi gürlüğündeki, eşsiz sesini taşır. Siyasal şiiri baş yere koyarak, 'aritmetik' başlıklı şiirde olduğu gibi, ona evrensel bir boyut kazandırsa da Can Yücel'in şiirini damgalayan bu özelliktir. Altmışlı yıllarda, o zaman Akdeniz kıyısında çok güzel köylerden biri olan Marmaris'te Turizm temsilcisi olarak çalışıyordu. Orada öğrendi 'Akdeniz'i yazmayı. Öbür yandan, BBC'nin Türkçe bölümünde çalıştığı sırada, zaman buldukça, İngiliz şiirinden çok güzel çeviriler yaptı.

Can Yücel'i 1988 Aralık'ında evinde gördüm. İstanbul Türk İngiliz Kültür Derneğinde şiir okumadan önce. Mantarları soyup soyup doğruyordu. Belki de Sinyavski'yi andıran sakalından olacak, bir Rus şairiyle, o gelenekten gelen biriyle karşı karşıyayım zannettim birden. Can Yücel, Oktay Rıfat'ın ölümüyle Türkiye'nin en önde gelen şairi şimdi. Bu kitaptaki çeviriler, onu İngiliz okurlarına kazandırmanın yanında, çevirmenin meslekten bir çevirmen ve şair'e saygı sunma fırsatı yaratıyor.

Richard McKane

Ruth Christie'nin Yorumu

Can Yücel'i hiç görmedim ama sesini işittim, sıcak, yankılı, çifte-bas sesinin gücünden bir haz titreşimi duydum. Aynı ses, yapıtlarında, kişisel, içten şiirlerinde, öfkeyle, enerjiyle, mizahla saldırıya geçtiği daha kapsamlı konularda da duyulur. Can Yücel'in mizahı, kimi zaman iğneleyici, kimi zaman acımasız, kimi zaman da havaidir. Nasıl sevgiyle hayal ederse, ironiyle dolu şiirlerinde de politikacıları evrensel bir dille kınar. Kırmızı sardunyaya ağıt yakar. Yapyalın dobralığı üzerine şöyle der:

> Düştüğüm için ben anamın imgelemine,
> Yaşamda da, şiirde de
> Böyle iğneli konuşmaklığım,

Dilden haz duyar. 'Konuşma tarzı', halk dilini, klasik özellikleri, gerçeküstücü imgelemi, her türlü ses ve söz oyununu kapsar. Bir şiire "Ben" kipiyle başlayıp, onu ortadan kaldırarak son verebilir. Bu 'ben', türkçede 'yaşam', 'ruh', 'dirilik' sözcükleriyle, tasavvufta ise 'mürid', 'kardeş' terimleriyle karşılandığı üzre, Can olur. Kardeşlik, bir tek sözcük ya da cümlede bile, kendini insanın zaaflarından ayrı tutmayan, bunları tanımazlıktan gelmeyen Can Yücel'e has bir duygudur. Güzel umudunun, gözlerimizi bütün olanaklarına açacağına emin olduğu yaşamın yanında yer alır.

> Böğrümde bir ölü çocuk
> Ölüyorum, ölüyorum, ölmüyor

Can Yücel'in, bazı şiirlerini de çevirdiği Yeats'le, bu, şairlerin aristokratıyla ortak yanları vardır. İkisi de, lirik, tutkulu, soruşturan bir dille masallardan ve tarihten gelen mitoslar yoluyla kişisel ve siyasal hakikatlerin peşine düştüler. Sonunda ruh hep kendi başına kalır, "yüreğin bit bazarını boylar", sonra, gerisin geri şarkının gücüne dönüş yapar. Bu, Can'ın en zengin şiirlerinden biri olan "Sevgi Duvarı"ında vardığı bir kabullenmedir.

BIOGRAPHICAL NOTES

Can Yücel *(Jaan Yüjel)*
(b. 1926) Born in İstanbul, the son of Turkey's greatest Minister of Education, Hasan Ali Yücel. Read classics at the University of Ankara and then Cambridge. He was for almost five years a programme asistant in the Turkish Section of the BBC External Services. On his return to Turkey he was sentenced to fifteen years for translating works by Che Guevera and Mao. He was released within two years because of a general amnesty. He is a man of vast knowledge and culture, as well as keen political and social awareness. He is a superb translator of Shakespeare, Emily Dickinson, Auden, Eliot, Dylan Thomas and the Greek epigrammatic poets. His poetry thrives on a strong combination of lyricism, warm irony and sarcasm. This quality is especially evident in his **Poems of a Political Prisoner** (1974). His other collections are **Wall of Love** (1973), **Death and My Son** (1976), **The Music of Colours** (1982), **The Steep Heaven** (1984), **Life Offering** (1988) and **The Child Colours the Man** (1988). Can Yücel has earned himself a leading place in today's Turkish poetry as a man who upholds what is bright and what gives hope and courage to life.

The maturity of his imagination and lyrical thinking manifested itself in his very first book **Manuscript** published 1950. His translations of Shakespeare's **Midsummer Night's Dream** and **The Tempest** were successfully staged in Turkey and are considered as turning points in the life of the Turkish theatre.

Feyyaz Kayacan (Fey-yaaz Kayajaan)
(b. 1919) The nom-de-plume of the editor of this anthology, Feyyaz Fergar. Born in İstanbul, educated at the Jesuit-run Lycée of St Joseph he went to study politics and economics in Paris (1938-39) and Durham University (1940-44). He joined the BBC External Services in 1946, retiring in 1979. His book, "Shelter", gathered together stories based on his experiences of the London Blitz, and in 1963 as head of the Turkish section won the short story prize of the Turkish Language Academy. Reviewing it, Professor Talat Halman wrote: "Reading Kayacan is a hypnotic experience: very few Turkish writers nowadays can boast of a style as lilting and incantatory as Kayacan's". This poetic book of prose has been credited with inspiring a new movement in language and style among the young poets of the fifties and sixties. In his two collections of poems- "A Spoon to Feed my Hunger" (1976) and "My Spider is Different" (1982)- Kayacan developed a compact style of looking at things.

Talat Sait Halman
(b. 1931) Born in İstanbul and a graduate of the American Robert College on the Bosphorus. An indefatigable and brilliant champion of Turkish poetry in the United States, he has taught Turkish language and literature at the Universities of Columbia, Princeton, Pennsylvania and New York. He published a massive anthology of "Contemporary Turkish Literature" in 1982. Talat Halman served as Turkey's first Minister of Culture in 1971. He is also a poet in his own right who in the last few years has written poems of deep and subtle singificance. The translation centre of Columbia University awarded him its (Thornton Wilder Prize) in 1986. In 1971 the Queen decorated him (Knight Grand Gross, GBE., The Most Excellent order of the British Empire)

Richard McKane has translated the work of several Russian and Turkish poets into English, including Anna Akhmatova, Osip Mandelstam and Nazim Hikmet. A collection of his own poems, **The Rose of the World**, is being published in 1992 by Gnosis Press, New York and Diamond Press, London.
Richard Mc Kane has also transtated works by Irina Ratuskinkaya, A. Voznezensky, Leonid Aranzon, F.H. Dağlarca, Tuğrul Tanyol, Hilmi Yavuz, Cevat Çapan and Oktay Rıfat.

Ruth Christie was born and educated in Scotland. She lived and worked in Turkey for some years, and now lives in London where she teaches English literature to American undergraduates. She studied Turkish at the School of Oriental and African Studies. Her translations are appearing regularly in (The Turkish P.E.N. READER) the literary magazine published twice a year by the Turkish Pen Centre, İstanbul.

CAN YÜCEL

(d. 1926) İstanbul'da, Türkiyeni'nin en saygın Milli Eğitim Bakanı Hasan Ali Yücel'in oğlu olarak dünyaya geldi. Ankara ve Cambridge üinversitelerinde Latince ve Yunanca eğitimi gördü. BBC Dış yayınlarının Türkiye Bölümünde Program yapımcısı olarak aşağı yukarı beş yıl çalıştı. Yurda dönüşünde Che Guevera ve Mao'dan çeviriler yaptığı gerekçesiyle 15 yıla mahkum oldu. İki yıl sonra genel bir af sonucu hapisten çıktı. Bilgi ve kültür haznesi zengin, politik ve sosyal duraylılığı olan bir kişiliğe sahiptir. Fevkalade bir çevirmen olan Yücel, Shakespeare, Auden, Eliot, Dylan Thomas ve veciz Yunan şairlerini Türkçeye'ye kazandırmıştır. Şiiri lirizm, sıcak bir hiciv ve alay ögeleriyle donanmıştır Bu nitelikleri **Bir Siyasinin Şiirleri** (1974) kitabında özellikle belirir. Diğer şiir kitapları: **Sevgi Duvarı** (1973) **Ölüm ve Oğlum** (1976), **Rengahenk** (1982), **Gökyokuş** (1981), **Canfeda** (1988), **Çok Bi Çocuk** (1988). Can Yücel yaşama umut ve cesaretle bakan şiiriyle Türk edebiyatında önde gelen bir şair olarak yer almıştır. İmgeleme gücünün olgunluğu ve lirik düşünme gücü 1950'de basılan ilk kitabında **(Yazma)** kendisini göstermiştir. Shakespeare'in **Bir Yaz Gecesi Rüyası ve Fırtına** çevirileri başarı ile sahnelenmiş ve Türk Tiyatrosunda bir dönem noktası olarak kabul edilmiştir.

FEYYAZ KAYACAN

(d. 1919) Bu antolojinin editörü Feyyaz Fergan'ın müstear ismidir. İstanbul'da doğan kayacan Saint Joseph Lisesini bitirdikten sonra Ekonomi ve politika okumak üzere önce Paris'e (1938-1939), daha sonra İngiltere'de Durham üniversitesine (1940-1944) giderek eğitimini sürdürmüştür. 1946 yılında BBC Dış Yayınlar Bölümünde görev almış, 1963'te Türkiye Bölümü Müdürlüğü'ne atanmış ve 1979'da emekli olmuştur. 1963'te Londra'da savaş yıllarını anlatan kısa öykülerden oluşan **Sığınak Hikayeleri** kitabıyla Türk Dil Kurumu ödülünü aldı. Bu kitap hakkında eleştiri yazan, Profesör Talat S. Halman övgüsünü "Kayacan'ı okumak bir tür ipnotizma olayıdır; bu canlı ve büyülü stil pek az Türk yazarında bulunabilir." diyerek dile getirmiştir. Bu şiir dolu öykü kitabı ellili ve altmışlı yıllarda yetişen genç şairlere ilham kaynağı olmuştur. Şiirlerini derleyen iki kitabında, **A Spoon to Feed My Hunger** (1976) ve **Benim Örümceğim Başka** (1982) Karacan çevresine bakışında çok özel bir tarz geliştirmiştir.

TALAT SAİT HALMAN

(d. 1931) İstanbul'da doğdu ve Robert Kolejde okudu. amerika Birleşik Devletlerinde Türk Şiirinin tanınması için olağanüstü çaba göserdi. Colombia, Princeton, Pennsylvania ve New York üniversitelerinde Türk Edebiyatı adı altında kapsamlı bir antoloji yayınladı. Talat Halman 1971'de Türkiye'nin ilk Kültür bakanı oldu. Aynı zamanda şair olan Halman son yıllarda derin ve ustalıkla yazılmış önemli şiirler yazdı. 1986'da Colombia üniversite'si Çeviri Bölümü Halman'ı "Thornton Wilder" ödülünelayık gördü. 1971'de İngiltere Kraliçesi kendisini OBE (The Most Excellent Order of the British Empire) nişanı ile taltif etti.

RICHARD McKANE
Aralarında Anna Akhmatova, Osip Mandelstam ve Nazım Hikmet'inde bulunduğu pek çok Rus ve Türk şairinin şiirlerini İngilizce'ye çevirmiştir. kendi şiirlerini 1992'de "The Rose of the World" adı altında Londra'da Diamond, New York'ta Gnosis'te yayınlandı. McKane'in İrina Ratushinşkaya, A. Voznensky, Leonid Arenzons, F.H. Dağlarca, Tuğrul Tanyol, Hilmi Yavuz, Cevat Çapan ve Oktay Rıfat çevirileri vardır.

RUTH CHRISTIE
İskoçya'da dğmuş ve öğrenimini yine İskoçya'da yapmıştır. Bir süre Türkiye'de çalışan Ruth Christie halen Londra'da yaşamakta ve Amerikalı Üniversite öğrencilerine İngiliz Edebiyatı dersleri vermektedir. Türkçe'yi Londra üniversitesinde (School Of Oriental and African Studies) bölümünde öğrenmiş olan Christie'nin çevirileri The Turkish P.E.N. Reader Dergisinde düzenli olarak yayınlanmaktadır.

SU YÜCEL

Born in London, Su Yücel is the daughter of the poet Can Yücel. Between 1979-1985 she studied painting at the Beaux-arts de Strasbourgh France and graduatedwith the "Diplome National Superior des arts Decoratifs." She won her first prize at the age of thirteen when one of paintings was chosen as the design for Turkish commemorative stamp. One million copies of the design were printed in 1974. Her one person shows, in chronological order are: May 1984 Monte-Charge Strasbourg France, September 1984 Galata Art Gallery İstanbul, March 1876 Petra Bank Gallery in Amman, Tarlabaşı Gallery İstanbul, December 1988 Gallery Grifon Ankara, September 1989 Artisan Gallery (in the framework of the second International Art Biannual İstanbul.) March 1990 Gallery Lapis Cappodaia Turkey, April 1991 Fine art Gallery Vancouver Canada, May 1992 Galata Mevlevihane İstanbul, and October 1992 Expo 92 Sevilla Spain.

In 1986 Su Yücel spent sixmonths in Amman at the invitation of the Director of the National Gallery. In April-May 1985 she took part in a group exhibition "Foire de Printemps" in Strasbourgh under the patronage of the Consul of Europe. She was the Art Director of two films made in Turkey in 1987.

SU YÜCEL

(d. 1961) Şair Can Yücel'in kızıdır. Londra'da doğan su Yücel 1979-1985 arasında Fransa'da Beaux-Arts de Strasbourg'da öğrenim gördü ve "Diploma Superior des Arts Devcoratifs" derecesini aldı. 13 yaşındayken bir hatıra pulu deseniyle ilk ödülünü aldı. Bir pul 1974 Monte-Charge, Strasbourgh, Eylül 1984 Fransa, Galata Sanat, Galerisi İstanbul, Mart 1986 Petra Bank Gallery, Amman, Ürdün, Eylül 1988 Galeri Baraz İstanbul, Kasım 1988 Tarlabaşı Galerisi İstanbul, 1988 Grifon Galerisi Ankara, Eylül 1989Artisan Galerisi (2. İstanbul Sanat Bienali kapsamında), Mart 1990 Lapis Galerisi Kapadokya, Nisan 1991 Fine Art Gallery Vancouver Kanada, Mayıs 1992 Galata Mevlevihanesi İstanbul, Ekim 1992 Expo 92 Sevilla İspanya.

Su Yücel 1986'da Ürdün Ulusal Galerisi Müdürü'nün davetlisi olarak Ürdün'de altı ay geçirdi. Nisan-Mayıs 1985'te Strasbourgh'da Avrupa Birliği Genel sekreterinin himayesinde açılan Foire de Printemps karma sergisine katılmıştır. Su Yücel 1987'de iki filmin Sanat Yönetmenliğini üstlendi.

Notes from the Publisher

The work on this book started in November 1992 when Feyyaz Fergar Kayacan came to İstanbul to introduce his anthology, Modern Turkish Poetry. The Poet Can Yücel and Feyyaz Fergar Kayacan decied to publish this book with poems appearing as parallel texts. Kayacan went back to london to work on the project and the draft material reached us in February 1993. As the work contiuned on the publication, the sudden death of Kayacan in early april came as a shock. It ıs a pity he is not with us to enjoy this book.

We would like to extend our gratitude to Yıldız Arda who helped with the proofreading and publication of this book.

Yayıncının Notu:

Kasım ayında editörlüğünü yaptığı Modern Turkish Poetry kitabını tanıtmak amacıyla İstanbul'a gelen Feyyaz Kayacan Fergar ile Can Yücel bu kitabın basılması için çalışmalara başladılar. Kitapta yer alacak olan şiirlerin çoğunun çevirileri hazırdı. Feyyaz Kayacan Fergar Londra'ya dönüşünde yoğun bir çalışmaya girdi ve Şubat ayında basım için gerekli yazıları elimize ulaştırdı. Hazırlıklar devam ederken Nisan ayının ilk günlerinde Kayacan'ı kaybettik. Ne yazık ki bu kitabın baskısını göremedi.

Bu kitabın hazırlanması sürecinde ve dizgi sırasındaki emeğinden dolayı Yıldız Arda'ya teşekkür ederiz.

POEMS

THE GREEN POEM

The more you look the more the stars multiply,
To count them you'll need more fingers than you have.
Some stars are audible, some are not,
The more you listen, the more you'll find in the night.
Sounds come,
Some come quickly, some take time.

Everything carries a voice of its own,
Even under the cover of darkness
the night keeps its colors going
in the branch of the tree, in the wind,
Every thing has a colour of its own.

He would wait under his closed eyelids.
Extending his leaf-like hands and palms,
he would wait till he could hear
the coming of the green
in the branch of the tree and in the wind.
He would then fall asleep in his dream.

Translated by Feyyaz Kayacan Fergar

YEŞİL ŞİİR

Baktıkça çoğalır yıldızlar gecede,
Parmaklarınla sayılmaz;
Kimi duyulur, kimi duyulmaz,
Dinledikçe çoğalır gecede,
Sesler gelir,
Ya hızlıdan, ya yavaştan.

Her şey kendi dilince konuşur;
Karanlık örtse de üstünü
Gecede devam eder renk
Ağacın dalında, rüzgârda;
Her şey kendi rengince konuşur.

Gözlerini kapatır beklerdi;
Yaprağa benzer ellerini, avuçlarını uzatır,
Beklerdi işitinceye dek
Ağacın dalında, rüzgârda;
Yeşili duydu mu uyurdu
Rüyasında...

IN VINO

The rain smashed its drinking cup on the pavement.
Look now, look at all the drunken mice
scurrying amongst the litter of broken glass.

Translated by Feyyaz Kayacan Fergar.

IN VİNO

I

Yağmur kadehini kaldırımlara çarptı:
Şimdi cam kırıkları içinde, bak,
Sarhoş fareler koşuşuyor!

HISTORY LESSON AT THE FLEA MARKET

If you recline into this brocaded couch
And if I go sit on that shelf of turbans
Do you think we might upset the venerable dust?
If we take a pinch out of this snuffbox,
Which probably belonged to some Grand Mufti,
Do you think it might drum up a sneeze,
The parable of the snuff long since gone?

Is this the end of the auction or just about?
After all, no more bids are to be heard.
Before the gavel sounded to announce Mr. N.
The owner of a full-length gold-leaf mirror
And before he could even say, "It's all done,"
Before his new piece jibed with the new features,
Nr. N., his mirror, his comb and his auburn locks
All turned to dust and were scattered to the wind.
Is this the end of the auction or, just about?

Were you ever, while sitting at a train window,
By the drifting trees and the earth and the rocks,
Deep in thought, watching the images of your face
With the twitches on your mouth and what not,
Jabbed and jostled by the rude elbow
Of some guy breezing through the corridor?

Did you then wish you were the only passenger?
Dismissing all that you wistfully watched - -
The trees, the earth, the rocks and yourself
Out of the window of the speeding train,
Did you wish you were left behind there
Where you had seen your image reflected?

BİT PAZARINDA TARİH DERDİ

Sen erkân koltuğuna kurulsan;
Ben çıkıp şu kavukluğa otursam.
Yıllanmış tozları tedirgin eder miyiz?
Şu kim bilir hangi Şeyh-ül-İslamdan kalma enfiye
kutusundan
Bir tutam alsak acaba
Uçmuş gitmiş enfiyenin masalıyla
Hapşırır mıyız dersin?

Müzayede dağılacak mıydı dersin, dağıldı mıydı?
Başka pey süren olmadığından;
Üç en, bir boy, altın yaldız, boy aynası
Çekiç vurup N. Beyin üstüne kalmadan;
N. Beyin "Oldu bitti bu iş" der gibi
Müstakbel eşyası, müstakbel tasvirine yanaşmasıyla
N. Beyin aynasıyla, tarağıyla, kumral saçıyla
Tuz olup, toz olup dağılması bir oldu;
Müzayede dağılacak mıydı dersin, dağıldı mıydı?

Hiç tiren penceresinden, akıp giden
Ağaçların, toprağın, kayaların kenarına oturmuş,
Kendi aksini dalmış seyrederken
– Gülünce ağzının nasıl çarpıldığını vesaire–
Koridordan geçen birinin dirseğiyle
Hiç şöyle bir silkinmedin mi?

İstemedin mi o zaman katarda tek yolcu sen kalaydın?
Yahut gördüğünü: ağaçları, toprağı, kayaları ve kendini
Gördüğünü, yürüyen katardan gördüğünü unutup
Seni, kendini gördüğün yerlere bıraksınlar istemedin mi?

Surely you have wished for that, haven't we all?
How about me buying you a mirror,
A full-length mirror with a gold-leaf frame
With the inscription on top "Here lies the deceased"?
And then we'll have your body washed clean
And in your memory we'll send out trays of fritters.

Surely you have wished for that, haven't we all?

Mr. N. had the urge to get off before the train stopped.
Yet these are venerable secondhand mirrors
And venerable mirrors fall into disuse,
With dust upon dust, and dust inside dust,
Venerable mirrors have fallen into disuse.

No one may get off while the train is moving.
If you do, they won't wash you the right way,
But they'll bury you at the Flea Market before you rot.

Surely you have wished for that, haven't we all?

Whatever remains after you are gone
Or whatever has remained after Mr. N. was gone
In a handful of dust,
Was it the unlived portion of his life?
Or whatever has remained after Mr. N. was gone
In a handful of dust,
Was it his death in defiance of dying?

They won't let you get off while the train is moving;
If you do, they won't wash you right way,
They'll bury you at Flea Market before you rot.

They won't allow you to mellow like wine
Or become an old man in the shade of a plane tree;
You shall remain idle in the midst of the mirrors

İstemesine istedin, istemesine istedik...
İster miydin sana bir ayna alayım,
Üç boy, bir en, altın yaldız boy aynası?
Üstüne "Merhum burada gömülü" yazardık;
Seni iyi sularla yıkardık;
Arkandan tepsilerle lokmalar dökerdik...

İstemesine istedin, istemesine istedik...
Yalnız N. Bey tiren kalkmadan inecekti.
Eski aynalar aylak olduğundan beri,
– Eski aynalar ve aynaların içinde insanlar;
– Tozun üstünde toz, tozun içinde toz–
Eski aynalar aylak olduğundan beri
Tiren yürürken inmeye bırakmıyorlar,
İnenleri iyi sularla yıkamıyorlar;
İnsanı Bit Pazarı'nda kokmadan gömmüyorlar.

İstemesine istedin, istemesine istedik...
Yalnız arkamızda kalacak... veya
N. Beyin ardında kalan,
Bir avuç tozun içinde kalan sade
N. Beyin yaşanmamış ömrü müydü?
Yoksa N. Beyin ardında kalan,
Bir avuç tozun içinde kalan
N. Beyin ölünmemiş ölümü müydü?

Madem tiren yürürken inmeye bırakmıyorlar;
İnenleri iyi sularla yıkamıyorlar;
İnsanı Bit Pazarı'nda kokmadan gömmüyorlar...
Sen bundan böyle ne yıllanmış şarap,
Ne de çınarın dibinde ihtiyar olacaksın;
Sen aylak aynaların ortasında aylak,

With dust upon dust, a passenger on the train,
Neither within the entrance nor without,
A Flea Market shopper with Flea Market items for sale.
If you live, you shall live with the dead at best,
Neither within the entrance nor without,
If you die, you shall die with death itself.

If you recline into this brocaded couch
And if I go sit on that shelf of turbans
Do you think we might upset the venerable dust?
If we take a pinch out of this snuffbox,
Which probably belonged to some Grand Mufti,
Do you think it might drum up a sneeze,
The parable of the snuff long since gone?

Translated by Talat S. Halman

Tozların içinde toz, tirenin içinde yolcu,
Sen, ne kapının içinde, Sen, ne kapının dışında;
Sen, Bit Pazarı'nda alıcı, Sen Bit Pazarı'nda satılık eşya,
Sen, yaşasan yaşasan ölülerle beraber yaşayacaksın.
Sen, ne kapının içinde, Sen ne kapının dışında;
Sen, ölsen, ölsen ölümle beraber öleceksin.
Sen, erkân koltuğuna kurulsan.
Ben, çıkıp şu kavukluğa otursam
Yıllanmış tozları tedirgin eder miyiz?
Şu kim bilir hangi Şeyh-ül-İslamdan kalma enfiye
                                        kutusundan
Bir tutam alsak, acaba
Uçmuş gitmiş enfiyenin masalıyla
Hapşırır mıyız dersin?

FROM JAPAN

I

There's been sickness since you leftthe harbour
Has gone into quarantine
Ships are anchored offshore
Tobacco stays in the warehouse.
Porters and qreengrocers are in trouble
And the weigher of cargoes plays cards from morning till
night.
The customs-men are hunting fish
They catch blue-fish-not very big.
Silence falls in the streets
Since you left
I've been teaching in the Deaf-and-Dumb School.

II

The wee village is deserted
Three wheels two hens and a dog in the square
Darkness drizzles over the roofs.
The name of the village escapes me altogether
Even my own name

Translated by Ruth Christie

CAPONCADAN

I

Sen gideli hastalar oldu liman
Karantinalara girdi
Açıkta demirliyor gemiler
Tütün ardiyede kaldı
Hali duman hamallarla mavnacıların
Kantarcı pişpirik oynuyor sabah akşam
Gümrükçüler balık avlıyor
Tuttukları sarıkanat
Sokaklarda çıt çıkmıyor
Sen gideli
Sağır-Dilsiz Okulunda öğretmenim ben

II

Köycek çekip gitmişler
Ortada üç teker iki tavuk bir köpek
Karanlık çiseliyor damların üzerine
Bitürlü aklıma gelmiyor köyün adı
Kendi adım.

41

SHEPHERD SONG

This tree is a docile animal.
It is not easy to stand like this
tied to a kennel of leaves,
living on the crumbs of the sky.

Translated by Feyyaz Kayacan Fergar.

ÇOBAN HAVASI

Uslu bir hayvan şu ağaç
Kolay değil böyle
yaprak bir kulübeye bağlı
Gökyüzünün kırıntılarıyla yaşamak

NOAH'S DAUGHTER

Trains pull out from stretching waters

and in the evenings I alight at a dripping station.
I walk stepping on dead newspapers,
The day closes like a broken umbrella
and a door open:
your double-winged door.

Nothing, neither all my lying nor these weeks
of endless rain, could ever wash the whiteness of
your hands.

Translated by Feyyaz Kayacan Fergar.

NUHUN KIZI

Uzun sulardan tirenler kalkıyor
Islak bir istasyona iniyorum akşamları
Adım başında bir gaz'te ölüsü
Bozuk bir şemsiye gibi kapanıyor gün
Ve bir kapı açılıyor
Senin iki kanatlı kapın

Ne benim yalanlarım ne de bu haftalarca yağmur
Kimseler yıkayamaz ellerinin beyazlığını

NOT SO LONG AGO

With rusty scissors the hand of gloom came
to sever the hanging-bridges of İstanbul.
The mountebank so fond of walking on the tight rope
of our love is now like a blunt chopper in our heart
blundering
blundering
into blind falls.

And this sky, not so long ago smiling over our heads
is just an unmasted vessel in tow.

Translated by Feyyaz Kayacan Fergar.

DEMİN

Kasvet, elinde bir paslı makas.
İstanbul'un asma köprülerini kesti.
Sevdamızın ipinde cirit oynayan cambaz
Şimdi bir kör satırdır içimizde,
Ha düşer,
Ha düşer,
Ha düşer,

Başımızın üstünde demin gülüp duran gökyüzü
Yedekte bir salapurya şimdi

PUBLIC ENEMY NUMBER ONE

Sir, I said, Sir
Hang me, beat me, kill me,
I'm guilty, I said, I'm the son of a bloody bitch,
I may even be a traitor to my country.
I'm no thief, no murderer,
No, but I've done much worse
Shall I tell you what?
I was a porter last year in Halim Bey's warehouse,
I don't know how many bales I must have shifted
I think I went off my head at one point.
Carts and houses and streets went into thin air
leaving me, the plain and the sky behind.
Here I am carrying a cotton-field on my back
and here comes the sun to do a crazy tap tap dance on it.
I told the sun to stand still,
No need to behave like a brute, I said.
The sun lent me no ear, went on with its footwork.
So there and then I dumped the field off my back,
Grabbed the sun by the scruff of its neck
and gave it a jolly good hiding.
I don't know when I came to, Sir,
The sun had long gone, followed by a long, long night.
I found a sunflower growing out of my right hand,
on my left seven-handed seven workers toiling hard.
Facing the sea we sat munching sunflower-seeds
and heartily we cried.

BİR NUMARALI HALK DÜŞMANI

Reis Bey dedim Reis Bey
Asın beni dedim dövün öldürün beni
Suçluyum dedim kahpenin soysuzun biriyim ben
Vatan hainiyim belki de
Çalmadım öldürmedim ama
Daha kötüsünü yaptım
Na'aptım biliyor musunuz
Hami Beyin deposunda hamaldım geçen yıl
Kaçıncı balyaydı kim bilir
Kaçırmışım keçileri bir ara
Arabalar evler sokaklar alıp başını gitmiş
Bi ova bi ben bi gökyüzü
Sırtımda bir pamuk tarlası
Çıkmış üstüne güneş ter ter tepinir
Tek dur dedim güneşe
Hayvanlığın lüzumu yok
Baktım oralı değil
Yıktım oracığa pamuk tarlasını
Aldım ayağımın altına güneşi
Yer misin yemez misin
Neden sonra uyanmışım
Karanlıklar basmış geceler olmuş
Bir ayçiçeği açmış sağ elimde
Solumda yediveren yedi amele
Almışız denizi karşımıza
Çatır çatır dişimizde ayçiçekleri
Bi güzel ağlamışız

The man's eyes, Sir, the man's eyes
were like a standup bar.
Smoke kept coming out of it, Sir,
and with the smoke a foul song drifted.
Come in, he said, so in I went,
Grabbing my arm suddenly
you see those cuckcolds, he said
I saw three men standing in a corner,
I don't know why, they made me think of my bad teeth.
Those queens, he said, those rotten bitches
they're the ones who nagged me to death
I wouldn't let them live a day
if I had my way.
Lucky for them I lost my identity card I'd know
what to do if I had one.
The man's eyes, Sir, shone like a flick-knife,
I took my own card out of my pocket
and gave it to him.

And Sir, do you know what I did then?
I went straight to a whore-house.
I found myself a hunchback of a woman,
A stagnant refuse of a body,
looking at you with eyes like worn-out slippers.
Come, I told her, come upstairs with me.
I'm not allowed customers, she said.
Be that as it may, come with me, I said.

Madam led the way
and with a lot of give and a lot of take
we did what had to be done.
I made her sit on the edge of the bedstead
combed her hair, painted her lips.
It was time to go, I put money in her hand,
her eyes, Sir, they were lovely, they were singing
like a school-outing.

Adamın gözleri Reis Bey adamın gözleri
Bir koltuk meyanesiydi
İzmir'in Meyane Boğazı'nda
Bir dumandır uğruyor dışarı bir duman
Dumanın yanısıra bir kerih türkü
Gel dedi gel girdim içeri
Koluma yapıştı birden
Gördüm mü dedi şu deyyusları
Köşede üç herif oturuyordu
Nedense çürük dişlerim geldi aklıma
O keçiler var ya dedi o namussuzlar
Onlar yedi benim başımı
Bi gün bile yaşatmam o itleri ama
Şükretsinler gene kafakâğıdımı kaybettim
Ah bir kafakâğıdım olsa
Ben bilirim yapacağımı
Adamın gözleri bir Bursa bıçağıydı
Çıkardım cebimden nüfus kâğıdımı
Tutuşturdum eline

Sonra na'aptım biliyor musunuz Reis Bey
Doğru keraneye gittim
Kambur bir karı buldum evlerin birinde
Belli sığıntı orda
Eski terlikler gibi bakıyor insanın yüzüne
Gel dedim çıkalım yukarı
Ben müşteriye çıkmam dedi
Olsun dedim olsun
Çaça da geldi peşimizden
Al takke ver külah üstesinden geldik işin

Oturttum sonra karyolanın kenarına
saçlarını taradım dudaklarını boyadım
Parayı verdim eline tam gideceğim artık
Cıvıl cıvıldı gözleri
Yeni dağılmış bir ilkokul gibi

That's how it went, Sir
I don't want to bore you
otherwise I could reel off all my other deeds…
I know I'm guilty, I do deserve my desserts,
I'm no thief, no murderer
no, but I've done much worse.
Do you know what, Sir,
I put it in my head to fall in love with people.

Translated by Feyyaz Kayacan Fergar.

İşte böyle dedim Reis Bey
Başınızı ağrıtmayayım
Yoksa bunlara gelinceye dek daha ne haltlar
                              karıştırmadım
Biliyorum suçluyum razıyım cezama
Çalmadım öldürmedim ama
Daha kötüsünü yaptım
Na'aptım biliyor musunuz Reis Bey
Tuttum insanları sevdim

THE WANKING GENERATION

Before starting to live anew
I've got some things to do
Some accounts to settle
I've become a bad person
I must excuse myself to myself
Only it's as though we live in the same city
Is it right to rape so many streets
I don't know what I was thinking of when I wrote that letter
Well I wrote it and sent it let's see what shit will come
from it!

Before starting to live anew
I must wash well
In indigo blue my days and nights must be scrubbed
I must cut my nails
and the first thing I must do on the street is drink some
mineral water
If I were in Istanbul if I were in Istanbul
I'd up and go to a childhood friend
or if not go and find Metin.

OTUZBİRİNCİ NESİL

Yeniden yaşamaya başlamadan önce
Yapılacak işlerim var
Görülecek hesaplarım
Kötü kişi oldum kendimle
Kendimden özür dilemeliyim
Sırf aynı şehirde yaşıyoruz diye
Yakışır mı onca sokağın ırzına geçmek
Hem ne akla uydum da yazdım o mektubu
Hadi yazdım neyse, ne bok yemeye yolladım!

Yeniden yaşamaya başlamadan önce
İyice bir yıkanmalıyım
Bir çivit mavisinde çitilemeli günlerimi gecelerimi
Tırnaklarımı kesmeliyim
Sokağa çıkınca ilk iş bir maden suyu içeceğim
İstanbul'da olsam İstanbul'da olsam
Çocuklu bir dostum var kalkar onun evine giderdim
Daha olmazsa Metin'i bulurdum.

I'll implore the best of trees
and say hey tree
your life passes in sleep whatever happens
let me enter your dream
and I'll live in that way
Look before I start to live anew
I must leave all this palaver
Give my head a clear out
prop up and spread out the contents
spend my money on a kilim
sit down cross-legged on it
and seated there seated there   I would perhaps turn into
a kilim

green blue sober
Before starting to live anew
I must look at the way to become a man
There's no end to this hooliganism
I must do some things
If nothing else works out I'll get a job in a café
shout at the top of may voice 'Teeeea with sugar'
I will please girls who haven't even approached me
with proposals of marriage
and if that doesn't come off I'll catch
some children and tell them a fairy story
I'm a man too aren't I?
But before starting to live anew
I must give up this wanking.

Translated by Richard McKane

Şu ağaca yalvarayım en iyisi
Diyeyim ki bre ağaç
Ömrün uykuyla geçiyor nasıl olsa
Bir sefer de ben gireyim düşüne.
Bi de o türlü yaşayayım
Bakın işte yeniden yaşamaya başlamadan önce
Böyle palavraları bırakmalıyım
Kafama bir çeki-düzen verip
Dayayıp döşemeliyim içimi.
Paraya kıyıp bi de kilim almalı
Bağdaş kurup çökmeli üstüne
Otura otura belki ben de o kilime dönerim
Yeşili mavisi uslu.

Yeniden yaşamaya başlamadan önce
Adam olmanın çaresine bakmalıyım
Bu haytalığın sonu yok.
Bi şeyler yapmalıyım
Kahvecilik ederim hiç değilse
Avazım çıktığı kadar "Şekerli Biiir" diye haykırırım
Bana varmayacaklarını bile bile
Kızlara evlenme teklif eder gönüllerini alırım
O da mı olmadı tutar çocuklara masal anlatırım
Ben de bir işe yararım elbet
Değil mi ya ben de insanım
Yalnız işte yeniden yaşamaya başlamadan önce
Abaza çekmeyi bırakmalıyım.

THE SONG OF A LIZZARD PERHAPS

Perhaps I was a bit of a lizzard
in the wake of a ruined rain,
Perhaps I was the ugly side of the beautiful
or the handsomest of all things ugly.
If the sun's shadow could have run green,
I would have been the fastest viridian
sprinting in my mother's tadpole races.

Was I fork, was I knife, was my edge sharp enough;
out of a thousand excuses I moulded myself..
A restless boy, easy in his coming easy in his going
I was a fretting nest of festering fits
And perhaps I had trouble written on my every fingertip.

Burgled policemen blow their whistles,
Shrilling with fear I wet myself back and front.
The sky was a three-star colonel
to him I turned to air myself in my flashing nakedness.
A foul-mouthed, an unpleasant poet
I was once a crab in the war against the Muscovite.

BELKİM BİR KERTENKELEYDİM

Belkim bir kertenkeleydim
   piç edilmiş bir yağmurun serini
bir güzelin çirkiniydim
   çirkinlerin en güzeli
yeşil koşsa güneşlerin gölgesi
   ben en hızlı yeşiliydim
kurbağa yarışlarında annemin

çatal matal kaç çataldım kim bilir
   bi dereden bir kendimi getirdim
haydan gelip huya giden bir huysuz
   heyheyler içinde bir heydim
belkim yedi belkim sekiz belaydım

düdük çalar hırsızlanmış polisler
   ben korkudan üstlerime işerdim
üç yıldızlı bir albaydı gökyüzü
   karşısında önüm açık gezerdim
ağzı bozuk meymenetsiz bir ozan
   rus cenginde çağanozdum bir zaman

I was easy, I was at home in both my eyes,
my colours were by a half-blind man seduced.
Well, village or town must not whimper when they fall,
I would be the one crying outside the city wall.
Chilldren were heard wailing for bread,
If an apple was needed I would appear one the scene.
Christmas night was a night of busy lament
To save myself I broke out of my ivory tower.

Who knows may be I was a feather in a bald man's hat,
a corn without colour or tassel to its name,
Sweet basil went sour because of me,
Mayhap I was a lusty yell blowing from who knows
                                                    where,
I came either from next door or from Paradise
Mayhap I was a voice, soft or strong,
When perhapsness patrolled the streets
Maybe I was not even a perhaps.

Translated by Feyyaz Kayacan Fergar

iki gözüm iki koltuk-eviydi
mavilerim bir miyobun koynunda
kendi düşen köyler kentler ağlamaz
sur dışında ben oturur ağlardım
ekmek diye bağrışırdı bebeler
elma derler ben ortaya çıkardım
ağıtlarla kutlanırdı İsa-doğdu Gecesi
fildişinden bir kuleydim yıktım kendimi

bilmem hangi keloğlanın fesiydim
bir püskülsüz sümbülteber tohumu
fesleğenler yaprak dökmüş şerrimden
bir naraydım kimse bilmez nereden
ya yakından ya uçmaktan gelirdim
belkim ince belkim kalın bir sestim
belkilerin kol gezdiği saatta
belki belki bile değildim

THE WALL OF LOVE

Was it you or your loneliness–
In the blind dark we opened bleary eyes
Last night's curses on our lips
We would frequent art-lesbian-lovers,
Galleries and public places
My daily care was to remove you into the midst of men
An ammoniac flower in your button hole
My loneliness my incontinent countess
The lower we sink the better

We loitered in the pubs at Kumkapı
With beanstew, beer and wine before us
And police battalions behind us; in the mornings
My Guardian Saints would find my carcass in the gutters
Hot as the garbage-collectors' hands,
With their hands I caressed you.
My loneliness my bristle-haired beauty,
The higher we stink the better

I looked in the sky a red flash a plane
Steel and stars and human beings galore
One night we leapt the Wall of love
Where I fell was so clear so open
You and the universe at my side.
Uncountable my deaths, their resurrections.
O loneliness my many songs
The more we can live without lies the better.

Translated by Ruth Christie

SEVGİ DUVARI

Sen miydin o, yalnızlığım mıydı yoksa
Kör karanlıkta açardık paslı gözlerimizi
Dilimizde akşamdan kalma bir küfür
Salonlar piyasalar sanat-sevicileri
Derdim günüm insan arasına çıkarmaktı seni
Yakanda bir amonyak çiçeği
Yalnızlığım benim sidikli kontesim
Ne kadar rezil olursak o kadar iyi

Kumkapı meyhanelerine dadandık
Önümüzde Altınbaş, Altın Zincir, fasulye plakisi
Ardımızda görevliler, ekipler, Hızır Paşalar
Sabahları açıklarda bulurlardı leşimi
Öyle sıcaktı ki çöpçülerin elleri
Çöpçülerin elleriyle okşardım seni
Yalnızlığım benim süpürge saçlım
Ne kadar kötü kokarsak o kadar iyi

Baktım gökte bir kırmızı bir ufak
Bol çelik bol yıldız bol insan
Bir gece Sevgi Duvarını aştık
Düştüğüm yer öyle açık öyle seçik ki
Başucumda bi sen varsın bi de evren
Saymıyorum ölüp ölüp dirilttiklerimi
Yalnızlığım benim çoğul türkülerim
Ne kadar yalansız yaşarsak o kadar iyi

THE TRICKS OF SPRING

You light a match in the dark to see
the flowering almonds. Your eyes are uneasy
like a pair of ships in the restless seas of March.

What trick are you going to play on us,
will you start a fire or declare spring open?

Translated by Feyyaz Kayacan Fergar

BAHARIN AZİZLİĞİ

Kibrit çakıyorsun karanlıkta badem çiçeklerini görmek
için
Ve mart denizlerinde tedirgin bir çift sarnıç gemisi
gözlerin
Bir iş açacaksın sen başımıza, yangın mı olur artık
bahar mı

CASTING NET

A dripping sky came up with the nets,
the fishermen were blue all over.

Translated by Feyyaz Kayacan Fergar

VOLİ

Sırılsıklam bir gökyüzü çıktı ağlardan
Masmavi bütün balıkçılar

ALEA IACTA EST (In other words the die is cast)

Yes, Atilla crossed the Danube
Hannibal the Alps
Ceasar came to cross the Rubicon. As for me,
I surpassed and went beyond myself
burning all my roses behind me.

Translated by Feyyaz Kayacan Fergar

ALEA IACTA EST
YANİ OK YAYDAN ÇIKTI

Atilla Tunayı geçti
Hanibal Alpleri
Sezar da Rubikon nehrini geçti
Bense kendi kendimi geçtim
Ardımdaki bütün gülleri yakıp

RABBIT BLOOD

I was once a Greek priest.
When from an ancient grove
His beard proclaimed the Virgin's mountains
The goats lost their way

Truly I was not human
If you hadn't caressed me with your hands
You would have looked to fathom this black cloud
This shadow from Hell' s corner

Love is throwing a tiny pebble
Into the well you dug with your hands.
As the roar of silence spreads
To be quiet as moss is an art.

How did the sea that began from a poor little mussel
Come to be great and blue.
Sitting on the ground like a prim little lady
She washes the feet of death

At sunset the tea you brought
Grew cold more slowly than the Sea of Marmara,
When our eyes met I thought
They should paint the boats with all the evenings

We were the shrine of virtuous loves
Wakening every night with the gravestones
Our rabbits became so many there was nowhere
For us to live.

Translated by Ruth Christie

TAVŞAN KANI

Senden önce bir Rum papazdım
Sakallarıyla bir eski korudan
Meryem dağlarını ünledim miydi
Keçiler şaşırırdı yolunu

Allah için ben insan değildim
Ellerim olmasa okşamasaydın beni
Kim diye bakardın bu kara bulut
Cehennemin ucundan gölgesi

Kendi eliyle kazdığın kuyuya
Aşk ufacık bir taş atmaktır
Gürültüsü büyüyünce sessizliğin
Marifet yosunlar gibi susmaktır

Fıkara bir midyeden başlayan deniz
Nasıl da büyüdü mavi oldu
Oturmuş yere hanım hanımcık
Ölümün ayaklarını yıkıyor

Güneş batarken getirdiğin çay
Marmaradan daha yavaş soğurdu
Göz göze geldikçe düşünürdüm de
Hep akşamla boyasınlar sandalları

Biz uslu sevgilerin türbesiydik
Her gece uyanan mezar taşlarıyla
Öyle çoğalırdı ki tavşanlarımız
Yaşayan kalmayacaktı nerdeyse

POEM

A poem is a hungry mouse
goading us asleep with her clumsy rimes
I called the Young Turks, the Van and the Siamese cats
The Angora cat was late as usual
First we ate Shelley then Pushkin then our own Sait*
Amazing how fresh still the brain of Rimbaud

The guests are leaving with many thanks and compliments
You too have learnt, cooking is an art

Yes but what's the meaning of all that
scratching upstairs

Translated by Feyyaz Kayacan Fergar

* a famous Turkish
short story writer

ŞİİR

Aç bir fareydi şiir
Yarım uyaklarıyla uykuları azdıran

Cöntürkleri çağırdım Vanları Siyamları
Ankara'nın kedisi her zamanki gibi geç
Önce Shelley'i yedik Puşkin'i ve Sait'i
Rimbaud'nun beyinleri nasıl gene de taze

Misafirler gidiyor mersiler iltifatlar
Öğrenmişsiniz artık siz yemek pişirmeyi

Ama yukarı katta bu tıkırtı n'oluyor?

THE MEDITERRANEAN IS IN HARMONY WITH YOU

The Mediterranean is in harmony with you
The stars sweat and you are sweating too
The same wet sparkle is on your nostrils
The noise of the motor boats does not stop
The dogs bark in the distance
A moment ago a child cried
A sheet is being shaken out from Fatma's window
Ali Dumdum is swearing for hours on end
The fishermen beat the sea
These sounds are like the earth swelling the silence
It is the silence garrulous of your geraniums

We lay on the veranda last night
the offshore summer breeze above us
My hands still smell of thyme
It was as though I didn't sleep with you
but was wandering the mountains

I learned from you how to write of the sea
The blue pencil is always in my hand
Like a fishing boat goes out on a trip
my teacher wife goes to school
I open out behind her
tracing a north wind in my exercise book
There is an island that is just shearwaters
it turns and turns in my head
The days I've lived with you
became a silver circle
when your sun touched my life

AKDENİZ YARAŞIYOR SANA

Akdeniz yaraşıyor sana
    Yıldızlar terler ya sen de terliyorsun
    Aynı ıslak pırıltı burun kanatlarında
Hiç dinmiyor motorların gürültüsü
Köpekler havlıyor uzaktan
Demin bir çocuk ağladı
Fatmanım cumbadan çarşaf silkiyor yine
Ali Dumdum anasına sövüyor saatlerdir
Denizi tokmaklıyor balıkçılar
    Bu sesler işte sessizliğini büyüten toprak
    O senin sardunyalar gibi konuşkan sessizliğini

Hayatta yattık dün gece
Üstümüzde meltem
Kekik kokuyor ellerin hâlâ
Senle yatmadım sanki
Dağları dolaştım

Ben senden öğrendim deniz yazmayı
Elimden düşmüyor mavi kalem
Bir tirandil çıkar gibi sefere
Okula gidiyor öğretmenim
Ben de ardından açılıyorum
Bir poyraz çizip deftere
Bir ada var sırf ebabil
Dönüyor dönüyor başımda
Senle yaşadığım günler
Gümüş bir çevre oldu ömrüm
Değince güneşine

I found at last that smugglers' cave
as you dazzled my eyes open
Death is perhaps like washing
in those dark waters stolen from you,
greener than seaweed when still,
but blue after blue soaring with every fathom
I thought my losses, my débris, my alcoholic works
all belonged to this flat world
How was I to know I was on the peak of my happiness
I understood when I went out with you
You know those ancient Greek horses
with their curly manes
the trees with their projections are like them
when the day turns to evening
The Balan Peaks march
companies of souls march
towards the wholeness of beauty

My woman
you are in harmony with the Mediterranean

Translated by Richard McKane and Feyyaz Kayacan Fergar

Neden sonra buldum o kaçakçı mağarasını
Gözlerim kamaşınca senden
Ölüm belki sularından kaçırdığım
O loş suda yıkanmaktır
Durdukça yosundan yeşil
Kulaç attıkça mavi

Ben düzde sanırdım yıkıntım
Örenim alkolik âsarım
Mutun doruğundaymışım meğer
Senle çıkınca anladım
Eski Yunan atları var hani
Yeleleri büklümlü
Gün inerken de öyle
Ağaçtan izdüşümleriyle
Yürüyor Balan Tepeleri
Yürüyor bölük bölük can
Toplu bir güzelliğe doğru

Kadınım
Yaraşıyorsun sen Akdenize

IN THIS CELL

All my worldly goods are
in this cell
my bed
my pillow
my pants
my shirt
my cigarettes
my matches
my book
my hands
my eyes...
all my belonging are in this cell
all my possessions

they're not just damp
they're wet through and through
these ten days I spent here
could easily feel like ten months,,,
honestly

Translated by Feyyaz Kayacan Fergar

ONSEKİZ

Nem varsa şu mahzende,
Yatağım,
yastığım,
Donum,
Gömleğim,
Sigaram,
Kibritim,
Kitabım
Ellerim,
Gözlerim...
Nem varsa şu mahzende,
Nem varsa,
Nemli filan değil, depedüz ıslak!
Yani şu geçirdiğim on gün var ya,
On ay eder su içinde!

THINGICIST

We were thingish as students,
Thing and I were good friends.
As you know you can't really be thingalong
with thingamy. When I finished my thingydo, my father,
thingingly made me join the Thingist Party.
By then I was married to Thingima.
Let's go to Thinghestan, said Thingila, so we went.
But one can't do without thingitude, so we came back.
I had two thinglets; they grew up.
The doctor now says I have thingylosis.
Of course I have, never been short of it.
Nobody can touch my thingulations
because I am a thingosaurus.
Of course every thingapod has a right to his thingodrome.
But I am a different thingamist,
I am an absolute thingologue.

Translated by Feyyaz Kayacan Fergar.

ŞEYİST

Biz talebeyken şeydik
İyi arkadaştık şeylen
Biliyorsunuz şeylen şey olunmaz
Ben şeyi bitirince babam
Şey dedi Şey Partisine girdim
Zaten Şeyle evlenmiştim
Şey şeye gidelim dedi gittik
Şeysiz de olmuyor döndük
İki şeyim oldu büyüdüler
Doktor sende bir şey var diyor şimdi
Tabiy bende bir şey var: sayamadığın kadar
Kimse dokunamaz benim şeyime
Çünki ben bir şeyim
Her şey de bir şeydir ama
Ben başka bir şeyim
Ben şeyim

HEY

They turned out the lights last night,
we groped for and picked up the chess pieces
and were ordered to bed.

The breathes of sleeping friends wandered
round the prison dormitory like black-as-night cats;
go on wander a little then.

I was setting fair for home,
my oars not even dipping yet,
when those screaming naked lights burst on above me.

A convict getting away from it all in a rowing boat on the
Bosphorus.
They're right of course they cannot leave me to it, but...
hey, I never knew that darkness could be so good!

Translated by Richard McKane

YA'U

Elektrikler söndü dün gece,
Zorbela toplayıp satırancın taşlarını
Mecburen yattık.

Simsiyah kediler gibi dolaşıyor koğuşta
Uyuyan dostların nefesleri.
Dolaşsınlar azıcık!

Tam ben de eve doğru açılıyordum
Şıpırdatmadan hiç kürekleri,
Yanmaz mı o tepemdeki yüz mumluk ışık!

Bir kürek mahkûmunu Boğaz'da sandal sefasına
Haklılar, bırakmazlar tabii ama...
Ya'u ne güzel şeymiş meğer karanlık!

LAMENT FOR A GERANIUM

At five o'clock in the afternoon
head prison -guard Rıza and his men
into our ward irrupted
at five o'clock in the afternoon

We stood watching the commotion,
we saw a geranium arrested
to be confined to deepest cell,
at five o'clock in the afternoon.

At first harbouring was suspected,
but behind hearsay and mystery
the reddest guilt must doubtless lie,
at five o'clock in the afternoon.

Order and quiet at last prevail,
the governor is back in the arms of his chair.
The flower into irons is put
at five o'clock in the afternoon.

Inmates' eyes are full of tears,
they think of their brother-convict
wrestling with the greenery of death
at five o'clock in the morning.

Translated by Feyyaz Kayacan Fergar.

SARDUNYAYA AĞIT

İkindiyin saat beşte,
Başgardiyan Rıza başta,
Karalar bastı koğuşa
İkindiyin saat beşte.

Seyre durduk tantanayı,
tukuklayıp sardunyayı
Attılar dipkapalıya
İkindiyin saat beşte.

Yataklık etmiş ki zaar
Suçu tevatür ve esrar,.
Elbet bir kızıllığı var
İkindiyin saat beşte.

Dirlik düzenlik kurtulur,
Müdür koltuğa kurulur,
Çiçek demire vurulur
İkindiyin saat beşte.

Canların gözleri yaşta,
Aklı idamlık yoldaşta,
Yeşil ölümle dalaşta
Sabahleyin saat beşte.

LAMENT FOR THE GERANIUM

At five o'clock in the afternoon
head warder Rıza with a platoon of guards
burst into our dormitory cell
at five o'clock in the afternoon.

We stopped and watched this amazing scene
as they arrested a geranium,
and threw it into the dungeon's depths,
at five o'clock in the afternoon.

Accused of receiving,
it's crime was mysterious,
but there was no doubting it was red.
at five o'clock in the afternoon.

Peace and harmony once more are regained,
the governor settles in his soft armchair.
They threw a flower into chains,
a five o'clock in the afternoon.

The prison souls' eyes with tears they fill,
their minds dwell on their comrade's execution,
and the fight with green death,
at five o'clock in the morning.

Translated by Richard McKane

SARDUNYAYA AĞIT

İkindiyin saat beşte,
Başgardiyan Rıza başta,
Karalar bastı koğuşa
İkindiyin saat beşte.

Seyre durduk tantanayı,
tukuklayıp sardunyayı
Attılar dipkapalıya
İkindiyin saat beşte.

Yataklık etmiş ki zaar
Suçu tevatür ve esrar,
Elbet bir kızıllığı var
İkindiyin saat beşte.

Dirlik düzenlik kurtulur,
Müdür koltuğa kurulur,
Çiçek demire vurulur
İkindiyin saat beşte.

Canların gözleri yaşta,
Aklı idamlık yoldaşta,
Yeşil ölümle dalaşta
Sabahleyin saat beşte.

DOUBLE ACT

Watch this nation sleep, my dear friend,
said Feyzullah effendi, the barley merchant,
watch and see how it can sleep and yawn
                              all at the same time.

Translated by Feyyaz Kayacan Fergar

MIŞIL

Bu millet uyuyor, azizim,
Dedi Arpacızâde Feyzullah Efendi
Hem de
                    uyurken esneyerek

AN AWKWARD DREAM

First I slept on my right side
five years passed that way.
Then I slept on my left side
that made ten years gone by.
Come on, get up 'they said.' This phase
is over. Damnation! I can't wake up.

Translated by Feyyaz Kayacan Fergar

DAMDAN DAMLAYA DAMLAYA GÖL OLMAZ YA

BİR

Bi sağ yanıma yattım, geçti beş yıl.
Bi de soluma yattım, etti mi on!
Hadi kalk, dediler, *bitti bu fasıl!..*
Hay allah kahretsin, uyanamıyorum!

10 Nisan, 1973

POEM 2

Tomorrow is Sunday, no one is allowed out.
İt is census day, the national head-count day.,

Well, so what! We'll stay indoors
tomorrow as well. That's not the end of the world.

Translated by Feyyaz Kayacan Fergar

POEM 25

We can show you two kinds of people
who've learned a thing or two about political finesse:
politicians and convicts.
The reason is there for all to see:
for politicians, politics is the art of staying
out of jail,
for convicts it is the prospect of freedom.

Translated by Feyyaz Kayacan Fergar

İKİ

Yarın pazar, sokağa çıkma yasağı var,
Seçim kütüklerini dolduracaklarmış...
Kıyamet kopmaz a,
Yarın da sokağa çıkmayıveririz, canım!

YİRMİBEŞ

Politikanın inceliklerinden anlayan iki tür insanımız var:
Politikacılarla mahkûmlar.
Bunun nedeni de belli:
Politika, politikacılar için içeri düşme tehlikesidir.
Mahkûmlar için ise dışarı çıkma ihtimali.

CO-OPERATION

Justice is a great big pot
and we are it's ladle.

Translated by Feyyaz Kayacan Fergar

KIRKSEKİZ

ADALET KAZAN,
BİZ KEPÇE.

DUST-BATH

The other day on the hill named after love
I save two hens
having a dust-bath
in the hollow they'd scratched under a table
The thought then came to me
that death too is perhaps
a kind o cleansing
in dust

Translated Feyyaz Kayacan Fergar

IV.

Sevda Tepesinde geçen gün
Karşıki masanın altında
İki tane tavuk gördüm
Toprakla yıkanıyorlardı
Eşeledikleri çukurda
İnsanlar için de belki ölüm
Toprakla bi tür
Yıkanmaktır diye düşündüm

METAMORPHOSIS

The long lithe creature
was dashing itself
again
and again on the stones.
Was it fed up
or was it dying in pain?
'No sir,' said the man nearby
"The snake is changing its shirt.
Form this behaviour we understand more or less
that we too at one time
are thought to have changed our form.

Translated by Ruth Christie

DEĞİŞİM

İnce uzun bir hayvan
Çarpıyor
Çarpıyor
Çarpıyordu kendini taşlara.
Canı mı sıkılıyor
Can mı çekişiyordu yoksa?
Yok efendim dedi yanımdaki adam
Gömlek değiştiriyor yılan
Bu hallerden anlarız dedi az çok
Biz de sınıf değişmiştik bi zaman

THE HORNS OF PARADOX

In ancient Anatolia golden-horned rams
were sacrificed to the Goddess of fertility.
In the new Anatolia
the Goddess of Fertility is sacrificed
to any plain horny ram.

Translated by Feyyaz Kayacan Fergar

ZAMPARADOKS

Eski Anadolu'da
Yaldız boynuzlu koçlar kurban ederlermiş
Bereket Tanrıçasına.
Yeni Anadolu'da Bereket Tanrıçasını kurban ediyorlar
Yaldız boynuzlu koçlar için.

MAN'S PRINCIPAL LAW

This is man's law of the blood:
to make wine from the grape
to strike fire from the stone
and human beings from kisses!

This is man's law of the soul:
no matter what happens to live
in the face of poverty and wars
and a thousand and one calamities!

This is man's law of reason:
to convert water to light
to render the dream true
to make the enemy a friend!

This is man's principal law
from the child on all fours
to the runner in space
to be always on course!

Translated by Ruth Christie

ANAYASASI İNSANIN

Ustamız Eluard'ın izinden

Kan yasası bu insanın:
Üzümden şarap yapacaksın
Çakmak taşından ateş
Ve öpücüklerden insan!

Can yasası bu insanın:
Savaşlara yoksulluklara
Ve binbir belaya karşın
İlle de yaşayacaksın!

Us yasası bu insanın:
Suyu şavka döndürüp
Düşü gerçeğe çevirip
Düşmanı dost kılacaksın!

Anayasası bu insanın
Emekleyen çocuktan
Uzayda koşana dek
Yürürlükte her zaman

SHAKESPEARE IN TURKEY

Hamlet's soliloquy ended before it began!
From now on "to be or not to be"
will give way to
"not to be or not to be".

Translated by Feyyaz Kayacan Fergar

TÜRKİYE'DE SHAKESPEARE

Hamlet'in tiradı başlamadan bitti:
Bundan böyle *to be or not to be*
Not to be or not to be...

SUICIDE NOTE SENT BY ESENIN FROM MOSCOW

There is nothing new in dying in this city,
does living in it carry greater merit?

Translated by Feyyaz Kayacan Fergar

YESENİN'DEN İNTİHAR PUSULASI MOSKOVA'DAN

Bu şehirde ölmek yeni bişey değil elbet.
Sanki yaşamak çok daha büyük bir marifet!

SO THAT THEY DON'T TALK BEHIND MY BACK

Every Don Quixote has his windmill
Mine is in the Prince's Island in the Marmara Sea
It is half in ruins
It carries a sign-board
saying in big letters
red upon white
THE PEOPLE'S BANK OF TURKEY
I swear to you in the name of Allah
I never got a penny
for that advert

Translated by Feyyaz Kayacan Fergar

ARKAMDAN KONUŞMASINLAR DİYE

Her Donkişotun bir yeldeğirmeni vardır
Benimki Heybeli'de
Yarı yarıya yıkık
Üstünde
Kırmızı üstüne beyaz beyaz harflerle
Kocaman
TÜRKİYE HALK BANKASI
Yazılı
Vallahi billahi de
Beş kuruş almadım o reklam için

LAST WORD

With my own hands I closed my earthly eyes.
It was worth the tiring effort.
Only death was left. It too I have now seen
feeling glad that I had been born.

Translated by Feyyaz Kayacan Fergar

SON SÖZ

Şevki Akşit'e

Dünya gözlerimi kendi ellerimle örttüm
Değdi yorgunluğuma
Bi ölüm kaldıydı onu da gördüm
Beni pişman etmedi doğduğuma

HAEMORRHOIDS AND RESURRECTION

It is not a cypress but a Judas-tree
that is standing over me. The field
is buried in me, I am buried in the field.
In this summer-struck world, I am the only corpse
to smell green. From now on this will be
my only sustained greeting:
'Hurrah', I shall say, 'hurrah for death,
hurrah for the mobilised crescendos
of all its distinguished nightingales.'

'Well put', said the Judas-tree above me,
bleeding,
bleeding all the time.

Translated by Feyyaz Kayacan Fergar

BASUR BADEL MEVT

Tepemdeki selvi değil, bir erguvan
Çayır bana gömülü, ben çayıra gömülüyüm
Bahar çarpmış dünyada yeşil kokan ilk ölüyüm
Bundan böyle benim için tek geçerli buyruk söz:
Şaha kalkmış bülbülleriyle Beylerbeyi'nin
Yaşasın ölüm!

Tamam! dedi tepemdeki erguvan
Kanaya
Kanaya

THE LATEST SITUATION IN CHILE

People got so used staying indoors
that curfews were declared illegal.

Translated by Feyyaz Kayacan Fergar

ŞİLİ'DE SON DURUM

Evde oturmaya öyle alıştı ki millet
Sokağa çıkma yasağı yasaklandı

LEAF FALL

Those leaves that turned red before they yellowed and
fell
all through the autumn put on a splendid display.

As the season turned and the wind began to freshen
again
in the nakedness of that horse it's them who'll run
those children
those leaves,
those wine-reddened brigands.

Without them who else would I have.

Translated by Esra Nilgün Mirze and Richard McKane

YAPRAK DÖKÜMÜ

Sararıp dökülmeden önce kızaran yapraklar ki onlar
Şan verdiler ortalığa bütün bir sonbahar

Mevsim dönüp de yeniden yeşermeye başlayınca rüzgâr
Çıplağında o atın yine onlar koşacaklar
O çocuklar
O yapraklar
O şarabî eşkiyalar

Onlar da olmasalar benim gayri kimim var?

FREEDOM FOR THE SPARROWS

Sparrows, I said,
enough is enough
I'll slam the door shut.

They took no notice,
so I didn't slam the door
so let them get on with it.

Translated by Feyyaz Kayacan Fergar

SERÇELEME

Çok oldunuz be serçeler
Kapatırım şimdi kapıyı
Dedim
Dinlemediler beni
Ben de kapatmadım kapıyı
Varsın dinlemesinler·

SOON

Some day in the near future
this nation shall watch in deep wonderment
a firefly in the bullet-proof body of the dark,
a firefly coming into its own
in the very heart of the bullet-proof dark.

Translated by Feyyaz Kayacan Fergar

YAKIN TARİH

Gün gelir bu işe bu millet de şaşar
Tam kurşun işlemez deminde karanlığın
Bir ateş böceğidir başlar

CONTIGUOUS DREAMS

I was shaking the branches of the walnut in my dream,
My wife in hers, was getting her mother to brew some
hemlock.
When we both jumped out of our sleep,
Our bed was a river of flowing leaves.

Translated by Feyyaz Kayacan Fergar

DÜŞ BİRLİĞİ

Büyük cevizin dalını silkerken ben düşte
Karım da anasına baldıran kaynatıyordu
Aynı anda silkindik ki uykudan
Yaprakla akan bir ırmağa dönmüş yatağımız

THE DENIZENS OF THE FLOWERPOT

He was an inhabitant of a sheltered flowerpot
Every morning by servants watered
Now that he has seen the rain
Rain is all he thinks about
Will it stop
Will it not

He was the occupant of a sheltered flowerpot
Having seen the sky's bounty
He now knows what it is to enjoy
the rain at first hand and having water
dispensed by the hand of others

Translated by Feyyaz Kayacan Fergar

SAKSIDAKİLERE

O bir saksıydı siperde
Her sabah sulanırdı hizmetçilerde
Yağmuru gördü ya şimdi
Aklı orda hep:
Dindi
Dinmedi

O bir saksıydı siperde
Gökten inenleri gördü de
Anladı gayrı
Yağmur yemek nerdeee
El elinden sulanmak nerde

LAST BOUNTY

I have turned into a date palm tree to be climbed over
I'm hairless, I'm leafless,
but though naked I still keep my fruit
from top to toe
so very orange
so very juicy
this is my autumn
this is my bounty

Translated By Richard McKane

SON GÜRLÜK

Tırabzan hurması ağacına döndüm
Tüyüm tüsüm döküldü, yapraksız kaldım
Yine de meyvaya duruyorum bu cıbıl halimle
Tepeden tırnağa
Turuncu turuncu
Kütür kütür
Bu benim sonbaharım
Bu benim son gürlüğümdür

WORLDLY GOODS

My eyes cannot stand this blue,
     the azalea's still in flower,
I wish there was no hurt in beauty.
What's in dying? I'm ending endlessly,

I could never have enough of love.
I might become a Judas-tree on the Bosphorus
I travelled the vast ocean of feverish hope and know now
     that my heart is but a mussel.

No raki- I went straight for the cologne.
This good-for-nothing modesty is like an island.
I'm afraid the world that brought me
     into this world will kill me again with love.

Translated by Richard McKane

DÜNYALIK

Gözlerim dayanmıyor bu maviye
Hâlâ da açıyorsun sen açelya
Olmaz olsun güzelin acıması
Ölmek ne, bitiyorum biteviye

Doyamadım doyamadım sevgiye
Boğazda erguvan olurum diye
Umman umutla vardım ki hummaya
Yüreğim denen şey meğer bir midye

Rakı yoksa buldum derhal kolonya
Ada oldu bak bu hayırsız haya
Korkarım yine öldür'cek aşktan
Beni bu dünyaya getiren dünya

METARIALIST

All I wanted was that half crown
that I lost by the French Hospital
it sparkled there somewhere by the walls
All I wanted was that half crown
sparkling brightly at the bottom of the sea
the scorpion fish that eats only seaweed
fanning the water with its fins

All I wanted was that half crown
to get it I dived fathom on fathom
till my lungs burst

You can see I had an eye for money

Translated by Richard McKane

MATERYALİST

Bütün istediğim o yirmi beşlik
Fransız Hastanesi'nin orda yitirdiğim
Duvarlara karıştıydı ya parıltısı
Bütün istediğim o yirmi beşlik
Işıl ışıl denizin dibinde
Sade ot yiyen o balık lipsos
Kanatlarıyla suyu havalandırarak

Bütün istediğim o yirmi beşlik
Uğruna kaç kulaçlar daldığım
Ciğerlerim patlayıncaya dek

Baksana ne para gözlüymüşüm ben

BALLAD OF THE GENTLEMAN THIEF

I came down from the skyscraper's roof on my mum's
rope,
got in like a butterfly through the side window
into your taxi, your belongings, your office...
Spelling out in syllables, on fingertips and toes,
I screwed your planet and your words.
I looked into your eyes, at your holy books, sideboards,
etc..
I looked with my poetry torch, my last cry.
You don't have an ounce of love.
I'm off, hell be with you.
I shit on your neighbourhood,
and let the phosphorus of my ass enlighten you.

Translated by Esra Nilgün Mirze and Richard McKane

KİBAR HIRSIZIN TÜRKÜSÜ

Anamın ipiyle indim gökdelen damınızdan
Kelebek gibi girdim kelebek camınızdan
Taksinize mülkünüze dairenize...
Heceleyerek üzerinde ayak ve el uçlarımın
Belledim seyyarenizi ve kelimelerinizi...
Gözlerinize baktım, mukaddes ciltlerinize, büfelerinize
Vesairenize...
Şiir fenerimle de baktım, son çığlık!
Aşk yokmuş sizde beş paralık!
Gidiyorum ben boşçakallar
Sıçmışım ortalık yerinize
Kıçımın fosforuyla aydınlanın siz artık

DAISIES IN BLOOM

There they were in the bowl
Güler must have picked them
Not neglecting the water.

An hour later
'Look Can' said Güler
'the daisies are all afoot.'

So white, so yellow,
so green!

'Wait a minute' I said to Güler
'would this be punishable by law?

Translated by Feyyaz Kayacan Fergar

PAPATYALAR AÇARKEN

Güler toplamış kırdan
Bir tabağın içine koymuş
Suyunu da unutmamış

Bir saat sonraydı
Can bak, dedi
Papatyalar ayaklanmış!

Nasıl beyaz, nasıl sarı
Nasıl yeşil!

Dur hele dedim Güler'e
Bu, 142'ye girmesin sakın!

SEISMOGRAPHY

The world stood on the horns of an ox, said the myth.
Every move of the ox caused an earthquake.
In fact the world rests on the shoulders of the people.
See what happens it they move.

Translated by Feyyaz Kayacan Fergar

SİZMOGRAFİ

Dünya öküzün boynuzları üstünde dururmuş,
Hep kıpırdayışında öküz, deprem olurmuş...
Oysa dünya, halkların omzu üstüne durur
Kıpırdasın da gör!

PINS

My mother was in love with my father,
and he with her.
Let's take a walk on Wednesday, said my father.
My mother from outside the city, had no chic clothes,
and asked to borrow her sister's wedding dress.
My aunt being fatter, her dress didn't fit my mother,
so they fixed it together on her with basting and pins.
My father came, as arranged, to the house beyond
                                                    Topkapi,
collected my mother and after several tram-rides
brought his Aphrodite to Bebek.
There they walked on the hills behind.
My father set down my mother in the meadow
and showed her the sea.
They talked of pleasant matters.
He was just about to kiss my mother,
and she had long been willing,
when casting his hand here and there
didn't those pins in the dress stick in his hand!
Ah! shouted my father-
Because of that day in that meadow, that moment
when I fell into my mother's imagination,
my manner of talking
both in poetry and life
is like that- full of pins.

Translated by Ruth Christie

İĞNELİ

Anam babama âşık olmuş,
Babam da anama.
Gezelim bu çarşamba demiş babam.
Sur-dışlı anam, öyle şık bir fistanı yok,
Ablasının nişanlığını istemiş ödünç,
Teyzem daha toplu, oturmamış üstüne entari,
Teyelle, iğneyle ayarlamışlar üstüne anamın.
Babam, kavilleri üzre, gelip Topkapı dışındaki evlerine,
Anamı alıp, kaçbir tıramvaylan aktarma,
Bebeğe götürmüş o Afrodit'i.
Bebek sırtlarına çıkmışlar.
Babam oturtmuş anamı çayıra,
Denizi göstermiş,
İyi şeylerden söz etmişler,
Derken öpecek olmuş anamı,
Anam çoktan râzı.
Babam el atınca orasına, burasına,
Fistandaki iğneler batmaz mı eline!
Ay! demiş bağırmış babam...
O gün, o çayırda, o an
Düştüğüm için ben anamın imgelemine,
Yaşamda da, şiirde de
Böyle iğneli konuşmaklığım.

TURNING POINT

There's no other world in this world
but this one.
Neither another nor anything further

The world comes into the world
because I am in it.
This can only mean one thing
the world exists
because I don't.

I am this world, this world is me
never mind if I'm here or not.
Even if I am nowhere to be seen
the world shall still be here for all to see.

All these things I say
apart from myself, in spite of myself.
Try to stop what has started
the world is stuck, the world goes on to spin.

With me, without me, clearcut because of me,
like a dimpled coquette
the world spins, the world does not.

Translated by Feyyaz Kayacan Fergar

BU DÖNENCEDE

Dünyada dünya yok
bu dünyadan başka,
Ne öbür,
Ne dübür...

Dünyada dünya var
Ben varım diye
O halde dünya var
Ben yoğum diye...

Ben bu dünya bu dünya,
Öldüm, oldum, olmasam ya,
Ben oldum, ben öldüm,
Var olacak yine dünya...

Ben bunları diyorum ya,
Benden ayrı, benden gayrı,
Başlamış biter mi hiç,
Dönmüyor, dönüyor dünya...

Benli, bensiz, benlen belli,
Benli bir Belkıs gibi
Dönüyor, dönüyor dünya...

AFTER A CHINESE POEM

(Seventh century)

If the plaintiff is rich and the defendent poor,
the law will beaver for the rights of the rich.

If the plaintiff is poor and the defendent rich,
the law will butler for the bread of the rich.

If both the plaintiff and the defendent are rich,
the judge shall apologise and dismiss himself.

If both the platintiff and the defendent are poor,
then and only then shall justice honestly come into play.

Translated by Feyyaz Kayacan Fergar

BİR ÇİN ŞİİRİ

(7. yüzyıl)

Dâvacı zengin, dâvalı yoksulsa
Zenginden yana işler yasa

Dâvacı yoksul, dâvalı zenginse
Dâvalıda kalır yine nizâlı arsa

Dâvacı da dâvalı da zenginse dâvada
Özür diler çekilir aradan kadı

Dâvacı da dâvalı da yoksulsa, bak,
Sade o zaman işte yerin bulur hak

WICK

Someting in me stinks.
I wash it hard, it won't wash off.

There is a mask preying on me.
I pull it hard it won't come off.

There is a child in my breast.
Death after death I die, not so the child.

There is a lighter in my eye.
Hard, I strike it hard, the flame

bursts into your faces.

Translated by Feyyaz Kayacan Fergar

FİTİLLİ

İçerimde bir bokluk var
Yıkıyorum, yıkıyorum, yıkılmıyor

Yüzümde bir maske var
Çekiyorum, çekiyorum, çıkmıyor

Böğrümde bir ölü çocuk
Ölüyorum, ölüyorum, ölmüyor

Gözümde bir çakmak var
Çakıyorum, çakıyorum, çakıyor

Suratınıza!

CARDIAC ARREST

If I had written a continent like Africa
I would have put my life to rest without further ado.

Translated by Feyyaz Kayacan Fergar

İSTİRAHAT-İ KALP

Afrika gibi bir kıta yazaydım
Hiç durmaz ölürdüm...

MIRACULOUS REALISM

I am human and witness
to that miracle that is myself.

Translated by Feyyaz Kayacan Fergar

TANSIK GERÇEKÇİLİĞİ

İNSANIM BEN... VE TANIĞIM
KENDİM OLAN O TANSIĞA...

ARITHMETIC

One Turk is worth the whole world, is a saying of Atatürk.
Leaving aside the distant and recent past,
but considering the events lately
in Sebinkarahisar and Gaziantep:
that is, if what the papers say is true-
some Turks have been tortured,
for whatever reason,
they were hanged from the ceiling by their feet,
were subjected to electric shocks here and there, etc.
So I repeat, that is, if the news is true,
and if as a nation we take to heart this statement
that one Turk is worth the whole world:
we- I mean some of us
and we can't tell how many-
by torturing some of us
have committed a crime aganist humanity, aganist so
many worlds-
nobody knows how many-
and against so many worlds beyond this life.

Translated by Esra Nilgün Mirze and Rihard McKane

ARİTMETİK

Bir Türk cihana bedeldir, deriz ötedenberi,
Fazla ve az eskileri karıştırmayalım,
Bakarak, şu son günlerde,
Şebinkarahisar'la Gaziantep'te olup bitenlere
-Tabiy gaz'telerin yazdığı doğruysa-
Bâzı Türklere işkence edilmiş.
-Nedeni ne olursa olsun-
Ayaklarından tavana asılmışlar,
Elektrik tutulmuş oralarına buralarına, falan filan,
-Tekrar söylüyorum, çıkan haberler doğruysa tabiy-
Ve o milletçe benimsediğimiz *buyruksöz* üzre
Bir Türk cihana bedel'se eğer
Bizler (yâni içimizden bâzıları)
-Sayılarını bilemiyoruz-
İçimizden bâzılarına işkence ederek,
Kimbilir kaç Cihana karşı *insanlık suçu* işlemişiz,
Kimbilir kaç Cihana
Kimbilir kaç Âhirete karşı!..

SPRING SCRIPT

A remnant of a past spring
               from Khayyam,
I am the poet of bitter hope
               badly mauled by mistakes.
How can I allow any hurt
               to touch this spring?
It can't escape, it'll be fooled
               just as the almonds were.

Translated by Feyyaz Kayacan Fergar

BAHAR YAZISI

Geçen bahar
  Hayyam'dan kalma
Acı bir umut şairi ben
  Yanılıp yanmışım ki fena
Nasıl toz kondururum şimdi
  Şu önümüzdeki bahara
Kaçamaz aldanacak
  Bademlerin aldanmasına

A RUMOUR

Oh Mefharet, how am I going to live now,
without you?
It is said that these were the last words
uttered by the poet Edip Jansever
on the 25th day of June 1985.

Translated by Feyyaz Kayacan Fergar

The date of the poet's death in Istanbul as a result of
cerebral hemorrhage.

BİR SÖYLENTİ

Ben şimdi nasıl yaşayacağım, Mefharet,
Sensiz?
Demiş, öyle diyorlar
29 Haziran'da Edip Cansever.

A DIFFERENT THRESHOLD

The bell rang
On my way to the door
I woke up to find myself
      lying on my back under pine trees

The blue of the sky
      rushed into my eyes

Well what's wrong with that
This too is a way to open a door

      to a different threshold

Translated by Feyyaz Kayacan Fergar

ÇALINDI

Kapı çalındı
Açmaya davranayım derken
Uyandım ki
Çamların altında yatmıyor muymuşum
Sırtüstü,
Hücum etti gözlerime
Göğün mavisi

Hoş
Böyle de
Kapıyı açtım sayılır
Diğ mi

Aynı kapıya çıkmasa bile

SO LITTLE

They came asking for water,
Children on the beach tired from swimming
They came in their bathing suits.
Behind them a charming fairhaired boy
Four years old - no more -
My wife Güler is giving them water.

What more could Can have given
If they'd asked him,
Except to be all ears
And listen to those chattering trebles mingle
With the sounds of water flowing from the tap.

Translated by Ruth Christie

BUKADARCIK

Su istemeye geldiler çocuklar,
Kumsalda çimerken farımışlar,
Mayolarıyla geldiler,
En arkada sarışın, şipşirin
Olsun olsun dört yaşında bir oğlan...
Güler su veriyor onlara...

Ben de olsam onlara daha ne verebilirim ki
Musluktan taşan su seslerine karışan
O cıvıl cıvıl seslerini cankulağıylan dinlemekten başka?

APRIL

That was a fairy tale of a diaphanous creature,
A little girl came skirts flying
At play with the father of men
Then she sat on my knee or on yours
Easy as though alone in the midst of a crowd
Skirtless and shameless
I don't know her motive
Intricate, boundless,
Perhaps to increase the loneliness of our gender
but when she got up from my lap or from yours,
The world was lonelier still
What was it all about
Perhaps a revenge
I love you she said
Not this April
But last

Translated by Ruth Christie

SONE

O hatun bir peri masalıydı uçuk
Erkeklerin babasıyla oynayan bir kız çocuk
Etekleri uçuşarak geldi miydi o eteksiz
Kimse yokmuş gibi kalabalıkta arsız
Otururdu senin benim kucağıma kimsesiz
Neydi maksadı bilmem
Bu kadar uçsuz bucaksız
Belki de çoğalmaktı
Cinsimiz olan yalnızlığımız
Kalktı mıydı kucağımdan dünya daha da yalnız
Anlamadım işi neydi
Belki de bir intikam
Seni seviyorum derdi
Bu değil geçen insan

RESISTANCE

I lost my glasses
I am sightless again
By accident in the mortar
I crushed my cock, was almost done for...
I am amazed that I can find myself still
alive and kicking
in this crappy toilet...
Who'd have thought
I could endure so much?

Of all the roses,
endurance is the strongest.

Translated by Feyyaz Kayacan Fergar

REZİSTANS

Gözlüklerimi yitirdim
Âma oldum bikez daha
Çüküm ezildi havanda
İflâhım kesildi...
Şaşılacak şey
Yaşıyorum hâlâ
Bu helâda!..
Amma dayanaklıymışım
Bir ama!..

Ne biçim gülmüş
Bu tahammül!..

FACING THE MIRROR

After having lavished on me lips after telling lips
You transmute yourself into another kiss,
Woman, congratulate me.

Translated by Feyyaz Kayacan Fergar

AYNANIN KARŞISINDA

Bunca çeşit dudaktan sonra
Başka bir dudak daha oldun,
Aferin bana kadın!

DON'T RUB IT IN

The sun conquers his eyes
with honey-bees
pollinated by snowdrops.

This could only happen to a silly poet,
who in the middle of blackest winter
on the balcony unfurls his mattress.

Translated by Feyyaz Kayacan Fergar

TAKAZA

Güneş zaptediyor gözlerini
Kar çiçeklerine belenmiş
Balarılarıyla

Döşeğini kara kışta
Bu tahtaboşa seren
Şaşkın şaire meheldir

FEMINISM

The Women have run up their banners
On the hill over there
Their patched, snow-white sheets
Smelling of soft soap,
Their cotton dresses, flannel shirts, their skimpy
                                        underwear
Sing a marching song in the wind
'The mist has conquered the mountain top'...
Babies' nappies
Every three hours soiled and washed,
Not feminist novels that take three hard years to express,
Are their proofs to the future.
They'll all be read
To the barracks and prisons
To the lads from home;
After night's icy ablutions
Those underpants and singlets, their men's shirts
Are thawing out now in the sun.
They'll be deities again
Those women with misty eyes
Provided that two or even seven times a week
Twilight preferred
They are never refused, but also kindly spared
Conception at one onslaught.

Translated by Ruth Christie

FEMİNİZMA

Karşı tepede asmış Kadınlar bayraklarını
Yamalı, ama akpak
Arap-sabunu kokan çarşafları,
Basma entarileri, fanilâ göynekleri, kısacık donları
Dağ-başını-duman-almış okuyor
Rüzgârda...

Çocuk bezleri ki
Ikına sıkına üç yılda karalanan
Feminist romanları değil,
Üç saatte bir arlanıp boklanan
Boklanıp arlanan
Nâmelerdir yollanacak onlar ilerde
Kışlalara, mapuslara
Hepsi okunuyor burdan oğullarına
Ve de erkeklerinin çamaşırları
Geceden asıldığı için, gusulden
Donmuşlar biraz
Çözülüyorlar handiyse güneşte,
O donları, o atletleri ki
O kadınlar gözleriyle
Bulut gibi yeniden ilahlar olsunlar diye
Haftada iki ve en az yedi
Tercihen alacakaranlıkta
Sallabaş olmama
Ve bırakmama şartıyla bir hamlede hamile...

A GREEK QUATRAIN

Yesterday all hells were let loose in Hell
after Persephone's ascent to earth.
Come next Autumn, Hades into Heaven
will flow again.

Translated by Feyyaz Kayacan Fergar

YUNANİ BİR SONE

Dün birden cehenneme döndü cehennem
Persofone yeryüzüne göçtüğünden,
Sonbaharla dönsün de bak göreceksin
Hades nasıl cennet olacak yeniden!

NO: 16

I looked and wandering on the street I saw
Apo, the butcher's boy,
13 or 14 years old,
thin as a matchstick.
'What's up' I said, *"what are you looking for?'*
'Uncle,' he said, *'six pounds of beef chunks*
were ordered on the phone
by No 16 in this street,
but there's no such number.'
I went ahead of Apo,
There really wasn't such a number.
where No 16 should be
there was a burnt out area...
We asked the neighbours opposite and they knew
                                        nothing.
'That's it.' I said, *'The ghosts are playing a joke on you.'*
The wife said, *'It's not the ghosts-*
more likely the hungry cats ringing up the shop.'

Translated by Richard McKane

NO: 16

Kasabın çırağı Apo
Onüç ondört yaşlarında
Çıta gibi bir oğlan
Baktım dolanıyor bizim sokakta
Ne lan, dedim, ne arıyorsun?
Amca, dedi, üç gilom guşbaşı
Telefonlan istediler de
16 numarasından bu sokağın
Yok öyle bir numara...
Önüne düştüm ben de Apo'nun
Gerçekten yok öyle bir numara
Ondörtlü evi geçtiğinde
Bir yangın yeri çıkıyor sırada...
Karşı komşulara da sorduk, onlar da bilmiyorlar...
Anlaşılan, dedim, hortlaklar matrak geçmiş sizinlen!
Hortlaklar değil ama, dedi *bizim hanım*
Aç kediler telefon etmiştir dükkâna, niye olmasın!

SPEAK UUUPPP!

All these bells
are hung in the window's mouth;
all these whirligigs
all these screws
all these windmills
these kites and planes
face the north-east wind.
All these trees, acacia, mimosa, magnolia
including their leaves,
all these living and lively people
have skipped to the next world
with their hands, arms, ears
at the sound of an early crowing bird.
They've bequeathed their voices
as a gift to this death-driven world..

Translated by Feyyaz Kayacan Fergar

SUSSSS-MA!

Bütün bu çıngıldaklar
Pencerenin ağzına asılı,
Bütün bu fırıldaklar
Bütün bu pervaneler
Bütün bu değirmenler,
Bütün bu uçurtmalar ve uçaklar
Poyrazın doğrultusunda...
Gülibrişim mimoza ve manolya, kavak
Yaprakları dahil,
Bütün bu kıpır kıpır insanlar
Elleri kolları ve kulaklarıyla
Ve erken öten bir horozun sesiyle
Kaçmışlar öbür dünyaya şimdiden
Seslerini bırakmışlar geriye
Bu ölümlü dünyaya yadigâr...

THE EXCUSE IS GRAVER THAN THE OFFENCE

I don't want to leave myself open to accusations
that's why I speak in such a roundabout fashion,
Campulsion is still on its throne.

But this is an equation that shall be
resolved sooner or later.

Translated By Feyyaz Kayacan Fergar.

KABAHATTEN BÜYÜK ÖZÜR

Açık vermemek için kapalı konuşuyorum böyle,
Mecburiyet oturuyor da hâlen taktirde...

Bu ama ergeç halledilecek bir muâdele...

İÇİNDEKİLER/CONTENSTS

INTRODUCTION 8
ÖNSÖZ 12
PERSONAL COMMENTS BY RİCHARD MCKANE 16
PERSONAL COMMENTS BY RUTH CHRISTIE 17
RİCHARD MCKANE'İN YORUMU 19
RUTH CHRISTIE'NİN YORUMU 20
BIOGRAPHICAL NOTES 21
    CAN YÜCEL 21
    FEYYAZ KAYACAN 22
    TALAT S. HALMAN 22
    RICHARD MCKANE 22
    RUTH CHRISTIE 22
    CAN YÜCEL 23
    FEYYAZ KAYACAN 24
    TALAT S. HALMAN 24
    RICHARD MCKANE 25
    RUTH CHRISTIE 25
    SU YÜCEL 26
NOTES FROM THE PUBLISHER (Yayıncının Notu) 28
THE GREEN POEM 30
YEŞİL ŞİİR 31
IN VINO 32
IN VINO 33
HISTORY LESSON AT THE FLEA MARKET 34
BİT PAZARINDA TARİH DERDİ 35
FROM JAPAN 40
CAPONCADAN 41
SHEPHERD SONG 42
ÇOBAN HAVASI 43
NOAH'S DAUGHTER 44
NUHUN KIZI 45
NOT SO LONG AGO 46
DEMİN 47
PUBLİC ENEMY NUMBER ONE 48

BİR NUMARALI HALK DÜŞMANI 49
THE WANKING GENERATION 54
OTUZBİRİNCİ NESİL 55
THE SONG OF A LIZZARD PERHAPS 58
BELKİM BİR KERTENKELEYDİM 59
THE WALL OF LOVE 62
SEVGİ DUVARI 63
THE TRICKS OF SPRING 64
BAHARIN AZİZLİĞİ 65
CASTING NET 66
VOLI 67
ALEA IACTA EST (IN OTHER WORDS
   THE DIE IS CAST) 68
ALEA IACTA EST (YANİ OK YAYDAN ÇIKTI) 69
....
RABBIT BLOOD 70
TAVŞAN KANI 71
POEM 72
ŞİİR 73
THE MEDITERRANEAN IS IN HARMONY
   WITH YOU 74
AKDENİZ YARAŞIYOR SANA 75
IN THIS CELL 78
ONSEKİZ 79
THINGICIST 80
ŞEYİST 81
HEY 82
YA'U 83
LAMENT FOR A GERANIUM 84
SARDUNYAYA AĞIT 85
LAMENT FOR THE GERANIUM 86
SARDUNYAYA AĞIT 87
DOÙBLE ACT 88
MIŞIL 89
AN AWKWARD DREAM 90
DAMDAN DAMLAYA DAMLAYA GÖL OLMAZ YA 91

POEM 2 & POEM 25 92
İKİ & YİRMİBEŞ................................93
CO-OPERATION 94
KIRKSEKİZ 95
DUST-BATH 96
IV. 97
METAMORPHOSIS............................98
DEĞİŞİM...99
THE HORNS OF PARADOX 100
ZAMPARADOKS 101
MAN'S PRINCIPAL LAW 102
ANAYASASI İNSANIN......................103
SHAKESPEARE IN TURKEY....................104
TÜRKİYE'DE SHAKESPEARE.............105
SUICIDE NOTE SENT BY ESENIN
   FROM MOSCOW 106
YESENİN'DEN İNTİHAR PUSULASI
   MOSKOVADAN.............................107
SO THAT THEY DON'T TALK BEHIND MY BACK 108
ARKAMDAN KONUŞMASINLAR DİYE 109
LAST WORD 110
SON SÖZ..111
HAEMORRHOIDS AND RESURRECTION................112
BASUR BADEL MEVT.......................113
THE LATEST SITUATION IN CHILE.............114
ŞİLİ'DE SON DURUM........................115
LEAF FALL 116
YAPRAK DÖKÜMÜ 117
FREEDOM FOR THE SPARROWS 118
SERÇELEME....................................119
SOON 120
YAKIN TARİH 121
CONTIGUOUS DREAMS 122
DÜŞ BİRLİĞİ 123
THE DENIZENS OF THE FLOWERPOT 124
SAKSIDAKİLERE 125

LAST BOUNTY 126
SON GÜRLÜK 127
WORLDLY GOODS 128
DÜNYALIK 129
MATERIALIST 130
MATERYALİST 131
BALLAD OF THE GENTLEMAN THIEF 132
KİBAR HIRSIZIN TÜRKÜSÜ 133
DAISIES IN BLOOM 134
PAPATYALAR AÇARKEN 135
SEISMOGRAPHY 136
SİZMOGRAFİ 137
PINS 138
İĞNELİ 139
TURNING POINT 140
BU DÖNENCEDE 141
AFTER A CHINESE POEM 142
BİR ÇİN ŞİİRİ 143
WICK 144
FİTİLLİ 145
CARDIAC ARREST 146
İSTİRAHAT-İ KALP 147
MIRACULOUS REALISM 148
TANSIK GERÇEKÇİLİĞİ 149
ARITHMETIC 150
ARİTMETİK 151
SPRING SCRIPT 152
BAHAR YAZISI 153
A RUMOUR 154
BİR SÖYLENTİ 155
A DIFFERENT THRESHOLD 156
ÇALINDI 157
SO LITTLE 158
BUKADARCIK 159
APRIL 160
SONE 161

RESISTANCE..162
REZİSTANS..163
FACING THE MIRROR 164
AYNANIN KARŞISINDA 165
DON'T RUB IT IN...166
TAKAZA...167
FEMINISM 168
FEMİNİZMA 169
A GREEK QUATRAIN 170
YUNANİ BİR SONE......................................171
NO: 16 172
NO: 16 173
SPEAK UUUPPP!...174
SUSSSS - MA!..175
THE EXCUSE IS GREATER THAN THE
   OFFENCE..176
KABAHATTEN BÜYÜK ÖZÜR 177

Announcing a major anthology of 20th century Turkish poetry
MODERN TURKISH POETRY
translated and edited by Feyyaz Kayacan Fergar
Additional translations by Richard McKane, Ruth Christie, Talat
Halman and Mevlut Ceylan

By concentrating on the shorter verse of 59 different poets, the
editor has been able to range over the whole gamut of Turkish
poetry in the 20th century - from Hikmet, to the Garip (New
Beginning) movement of the forties, the committed poets of the
seventies and the "Muslim poets" of the present generation. Full
biographical and critical notes are provided for each poet, and an
introduction places the modern poets in the context of the nati-
on's history.

The editor, Feyyaz Kayacan Fergar , is a poet, short story writer
and translator of distinction. A former Head of the BBC Turkish
Section, his first collection of poems written originally in English,
A Talent for Shrouds, was published by the Rockingham Press in
1991. Most of the translations in this anthology are by Fergar.
Additional translations have been made by Richard McKane and
Ruth Christie, who collaborated on a volume of the poems of Ok-
tay Rifat, Talat S. Halman, who was Turkey's first Minister of Cul-
ture and is now the foremost teacher of Turkish literature in the
United States, and Mevlut Ceylan, who with Fergar founded the
international poetry magazine, Core.

POETRY BOOK SOCIETY RECOMMENDED TRANSLATION

The Rockingham Press
II, MUSLEY LANE
WARE HERTS SG12. 7EN